ЮРИЙ БАШМЕТ

ЮРИЙ БАШМЕТ

Вокзал мечты

Москва ВАГРИУС 2003

УДК 882-94
ББК 84Р7
    Б33

Издание подготовлено на основе
авторской телевизионной программы
Юрия Башмета «Вокзал мечты»

Литературная запись — Лев Николаев

Книга издана при поддержке:
Министерства культуры Российской федерации,
Международного благотворительного фонда
Юрия Башмета,
МДМ Банка,
Bosco di Ciliegi

В книге использованы фотографии из личного архива
Юрия Башмета, а также работы Саши Гусова, Евгения
Бурмистрова, Эдуарда Левина, Альгирдо Ракауско, Лори
Льюис, Владимира Ахломова, Монро Ворсоу, Антона Суссь.

На переплете использованы фотографии
агенства KASSKARA,
Берлин, Германия (info@kasskara.de)

ISBN 5-264-00794-2

Моей маме

Вместо предисловия

Почему у этой книжки такое название? Так случилось, что это словосочетание — «Вокзал мечты» — прочно вошло в мою жизнь благодаря моей авторской телевизионной передаче. Придумал ее художник Борис Краснов. Он же создал для первого «Вокзала» декорации. Но на самом деле история началась гораздо раньше. Это было так давно... и в то же время совсем недавно...

Один из фестивалей, где я был артистическим директором более десяти лет, проходил, начиная с 1986 года, в Германии, в миленьком местечке Роландсек под Бонном.

Как и в любом уважающем себя немецком городке, в Роландсеке есть вокзал. Зданием вокзала владел близкий друг Святослава Рихтера — Иоганнес Васмут. Впоследствии он стал и моим другом, но сейчас его, к сожалению, уже нет с нами. Так вот, это здание вокзала абсолютно уникально! Начнем с того, что на первом этаже располагается постоянная выставка знаменитого немецкого скульптора Ханса Арпа, чьи работы Иоганнес с удовольствием собирал на протяжении всей своей жизни. Здесь же в течение года устраивались передвижные выставки. А на втором этаже — концертный зал, на открытии которого выступали ни больше ни меньше как Иоганнес Брамс и Клара Шуман-Вик. Сам же вокзал построен так, что поезда, останавливающиеся у перронов, в зале практически не слышны. Прибавьте к этому широкий балкон с видом на Рейн, идущий вдоль всего фасада здания, а также возможность для артиста жить здесь же в маленькой квартирке под самой крышей и соответственно репетировать столь долго, сколько нужно, — и вы поймете, что лучшего названия, чем «Вокзал мечты», для места, где различные виды искусств встречаются с повседневностью, не найти.

Честно сказать — не я был инициатором этой программы. Даже долго сопротивлялся. При моем графике концертов, гастролей, при том, что у меня фактически не оставалось времени для дома, для семьи, соглашаться еще и на телевизионную кабалу было по меньшей мере легкомысленно. Меня уговорили, пообещав удовольствие, от которого невозможно отказаться. Я имею в виду общение с выдающимися людьми — писателями, артистами, художниками.

8

В качестве музыкального пролога «Вокзала мечты» использовали тему из альтового концерта Альфреда Шнитке. В этом прологе (телевизионщики называют его «шапкой») снялся мой, маленький тогда, сын Саша.

Как и все вокруг, телевизионный «Вокзал» изменился коренным образом. Сменилась команда, сменилась формула, исчезли собеседники, но появилось некое новое качество. Теперь, вот уже пять лет, это фактически летопись жизни. Моей. «Солистов Москвы». «Декабрьских вечеров Святослава Рихтера», фестиваля «Эльба — музыкальный остров Европы».

Я назвал книгу «Вокзал мечты», можно сказать, по инерции. Она полна имен дорогих мне людей. Они дарили мне свою дружбу, делились своими мыслями и надеждами. Я всех их искренне люблю. Поэтому вы не встретите на этих страницах плохих людей. Не потому, что их не было в моей жизни. Просто не хочется вспоминать о них. Хороших, добрых, умных было гораздо больше. Единственное, чего я боюсь, — что мне не хватит места в книге и кто-то останется «за кадром». Не обессудьте!

И еще. В создании этой книги мне помогали многие. Прежде всего, Роман Балашов, мой ученик и главный помощник и в консерватории, и в камерном ансамбле «Солисты Москвы», собиратель и хранитель всего, что пишется, говорится, снимается, печатается обо мне и об ансамбле. Конечно, Владимир Демьяненко — мой близкий друг, который делает все, чтобы облегчить и организовать мне жизнь, размазанную буквально по всему земному шару.

Александр Митрошенков, генеральный директор Благотворительного фонда Юрия Башмета, он буквально заставлял всех нас работать над книгой в течение целого года. И конечно, вся телевизионная команда во главе со Львом Николаевым, которая отнеслась к этой книге как к своей собственной. Спасибо!

На обложке был выдавлен мой профиль

Итак, мне уже 50. Хотя, говорят, какие это годы!..

Я многое успел. А хочется еще больше.

У меня уже довольно много разных званий, титулов, наград — стоит ли об этом? Как всякий артист, я человек тщеславный, но не до такой степени. Гораздо больше меня забавляют всевозможные прозвища и сравнения.

Вот, например, сосед по даче и большой мой друг Никита Михалков упорно именует меня родным братом Роберта де Ниро. Японцы сравнивали с Юрием Гагариным. Тоже Юрий. Французы находят во мне какие-то черты Наполеона Бонапарта. Но чаще всего называют Паганини. Добавляя «русский». «Русский Паганини». Не так давно в Киеве, забыв, что я родился в Ростове, но памятуя, что провел детство во Львове, меня торжественно провозгласили «украинским Паганини». Нашли во мне необъяснимую близость украинскому искрометному и безоглядному порыву, романтическую «легковоспламеняемость казацкого духа». И это после того, как я впервые выступил с концертом в Киеве только в 1997 году!

Я плохо знаю, каким был Паганини, но, судя по его музыке, манере игры с ее страстностью и силой, он обладал бешеной энергией. В этом я бы не отказался от сходства с ним. Но если имеется в виду чисто внешняя похожесть — увольте.

А еще меня долго отождествляли с «альтистом Даниловым».

Однажды я пригласил писателя Владимира Орлова на телепередачу «Вокзал мечты». Орлов пришел с альтистом из Большого театра Владимиром Гротом — настоящим прототипом Данилова.

Они долго рассказывали о том, как создавалась книга, и вроде бы убедили всех, что прототип не я. Но в конце нашего разговора меня ждал сюрприз — Орлов вдруг презентовал мне свою книгу, изданную в Японии. На обложке был выдавлен мой профиль...

Тогда, в звездные для «Альтиста Данилова» времена, меня часто спрашивали, приходилось ли мне испытывать состояние полета, как у альтиста Данилова.

Помните:

«Данилов открыл хрустальную дверцу, выбрался из Девяти Слоев, раскинул руки и полетел... Хорошо ему было... Он любил слушать музыку планет... В них была радость. Была любовь. Был разум. «Какие голоса, — думал Данилов, — какие звуки!.. Что это? Голос третьей от светила планеты, поначалу ничем не напоминающий земные звуки, вдруг изменился, и в нем, внутри его, как одно из составляющих, возникло звучание альта. Да, альта!..»

Так вот, однажды...

Дело было во Франции, нам с пианистом Михаилом Мунтяном предстояло исполнить альтовую сонату Шостаковича, незадолго до этого скончавшегося.

Накануне я неважно себя чувствовал, поднялась температура, и вообще подумывал — а не отменить ли концерт. Но потом все-таки взял себя в руки и в назначенный час вышел на сцену.

Начал я играть, и вдруг возникло ощущение — странное, удивительное: будто кто-то взял меня за руку и повел за собой. Мне самому, чувствовал я, ничего и не надо делать, кроме как слушаться своего невидимого, таинственного «поводыря»; надо только идти по предначертанному им пути и ни во что не вмешиваться...

Все, что я делал тогда на сцене, было где-то высоко-высоко НАД этим. НАД — вы понимаете? Над моими планами, интерпретаторскими замыслами. Словно играл не я, а кто-то водил моей рукой... Это было почти нереальное, буквально обжигающее приближение к идеалу. Я чувствовал во время игры, что в каждой своей фразе, интонации, звуковом и ритмическом нюансе попадаю точно в «десятку». У меня, помню, даже мурашки забегали по телу... Это было какое-то совершенно особое сомнамбулическое состояние. Описать его подробнее не смогу. Единственное, что могу добавить, — большее блаженство для артиста трудно себе представить.

И когда мы с Мишей окончили играть и направились к выходу со сцены, то тут произошло самое удивительное. Где-то над дверью, ведущей в артистическую, я вдруг совершенно отчетливо увидел лицо Шостаковича. Есть среди его фотографий одна, всем хорошо известная: Дмитрий Дмитриевич на ней смотрит вполоборота, глубоко задумавшись о чем-то своем...

Я долго не прикасался потом к альтовой сонате Шостаковича. Хотелось сохранить в неприкосновенности звуковой образ, оставшийся в моем сознании...

Концерт был записан на пленку. Копия этой пленки более чем на две недели у меня не задерживалась: терялась вместе с кейсом, выкрадывалась вместе с магнитофоном из машины. Каждый раз, возвращаясь в тот город, я просил сделать мне новую копию. И странная история: поначалу и я, и все слышали, что запись на этой кассете зафиксировала какое-то необычное исполнение. Но постепенно это впечатление стало теряться.

Как-то совсем недавно на радиостанции «Эхо Москвы» Матвей Ганапольский зачитал вопрос какой-то слушательницы: «Существует легенда, что Паганини помогал сам дьявол. Кто вам помогает в вашем творчестве?»

Я ответил тогда так:

«Я знаю, что энергия, которая мне сопутствует и как бы кормит меня, — это энергия светлая. Это я давно выяснил. А кто помогает — я думаю, что моя мама, которой нет уже очень много лет. Но она продолжает, как звезда, меня вести...»

Мама — это всё. Это я. Это человек, который сделал меня. Вопреки всему — спорту, джазу, Львову и даже папе...

ВОКЗАЛ МЕЧТЫ

«МНЕ НЕ НУЖНЫ ТАЛАНТЛИВЫЕ ДЕТИ, МНЕ НУЖНЫ ТАЛАНТЛИВЫЕ МАМЫ»

Я родился в тот самый год, когда умер Сталин. Буквально за месяц с небольшим до всенародного плача, в котором родители мои, кажется, не участвовали. У них уже был трехлетний сын, и врачи всячески убеждали отказаться от меня, так как у мамы было больное сердце и диабет. Никто не мог поручиться за благополучный исход...

24 января 1953 года я и родился — «очень смуглым и некрасивым», как говорил папа.

— Ничего, подожди, — пообещала мама. — Юрочка будет красивым и особенным!..

И я постарался ее не подвести.

Случилось это в Ростове-на-Дону, куда папа получил распределение после окончания Ленинградского института инженеров железнодорожного транспорта. Однако запомнить этот город, прикипеть к нему сердцем я не успел, потому что скоро все семейство перекочевало во Львов. Опять-таки вслед за папой, которого перевели в управление Львовской железной дороги. Мы поселились на улице Руднева (ныне улица Ференца Листа) неподалеку от консерватории. И этот уголок земли я и считаю своей настоящей родиной. Здесь я вырос. Здесь получил все, без чего меня бы просто не было. Здесь начинал и как музыкант.

Мама моя считала, что для того, чтобы ребенок не стал уличной шпаной, у него должны быть увлечения, какое-то занятие помимо школы. Тогда появятся разные интересы, а не только улица. В то же время она была не против футбола и велосипеда, скорее даже поощряла это. Ведь ребенок должен развиваться еще и физически, должен вырасти здоровым человеком.

Спорт спортом, но довольно скоро выяснилось, что заниматься каким-либо видом, связанным с руками, вредно. (К этому времени стало ясно, что музыка — это серьезно.) Например, мяч. Я поначалу увлекся ватерполо, но какой-то мальчик вывихнул палец, принимая мяч, и мама немедленно забрала меня из секции. Я занимался фехтованием, даже имел юношеский разряд, — мама все волновалась, что будет с кистью. Она не была профессиональным музыкантом, но понимала все опасности, подстерегающие здесь.

Конечно, были и коньки, и лыжи, но самым мощным увлечением стал велосипед. Тут я побеждал уличных друзей и в скорости, и во всевозможных трюках.

Прошел я и через метание ножей. Перочинный ножик помню, стоил рубль двадцать. У нас у всех были одинаковые, с длинным лезвием. Тогда впервые показывали знаменитый вестерн «Великолепная семерка», и под впечатлением от этого фильма мы все приобрели такие ножи. Всеми правдами и неправдами умоляли старших братьев, знакомых или просто прохожих купить их в магазине, потому что детям не продавали.

Есть высказывание знаменитого учителя музыки Петра Соломоновича Столярского, чье имя носит музыкальная школа в Одессе. (С этой школой связаны очень большие имена, ну хотя бы Ойстраха Давида Федоровича.) Так вот, Столярский говорил:

— Мне не нужны талантливые дети, мне нужны талантливые мамы.

И он был, конечно, прав. Моя мама была той самой, в классическом смысле, талантливой мамой, которая подняла меня, провела через все соблазны и опасности.

Когда я занимался дома музыкой, мама иногда сама выпроваживала меня на улицу. Видя, что сын мучается, но не решается подойти к ней и отпроситься, она говорила:

— Ну, боже мой, поезжай на час, на два, сколько тебе надо. Возьми велосипед, созвонись с Игорем (у меня был школьный друг Игорь, мы вместе катались), поезжай. Накатаешься, проголодаешься — приедешь, поешь и еще позанимаешься.

Вот примерно так она мудро руководила моей жизнью.

Конечно, иногда я ее обманывал. Например, пока она была в другой комнате, ставил на пульт «Три мушкетера» и как бы занимался. Вожу смычком по струнам как попало, а на самом деле читаю. Она слышит, что звуки какие-то есть... и спокойна. Как-то у меня появилась идея воспроизвести звуками альта собственный голос, интонацию, максимально приближающуюся к слову. Например, позвать маму. И в конце концов я этого добился. Мама пришла ко мне, спрашивает:

— Ты меня звал?

Это было высшей наградой моего творческого поиска.

Много лет спустя я повторил этот эксперимент еще раз. Наше консерваторское общежитие практически примыкало к зоопарку. И вот какое-то животное, регулярно просыпаясь в половине седьмого утра, бешено кричало. И будило меня. Почему-то я решил подобрать в звуках и голос, и интонацию зверя. У меня это тоже получилось. Но это был последний такой опыт.

«НЕТ У НЕГО СЛУХА, НЕТ!»

Итак, чтобы я не стал бандитом, мне купили самый дешевый инструмент. Это была скрипка за 9 рублей 25 копеек. Хорошо помню этот момент. Я учился в первом классе, мама встретила меня после школы и за пятнадцать минут прогулки через парк мягко-мягко подвела к этой теме:

— Вот хорошо бы музыкой заняться, как ты к этому относишься? Понимаешь, ведь ты будешь меньше гулять, придется много учиться.

Я говорю:

— Да, да, понимаю.

А внутри — жуткий протест. Но обидеть маму, отказать ей — невозможно. Хотя на душе тяжело, плакать хочется. Но это еще ничего! Мы вошли в квартиру, а на столе в гостиной лежит цвета хаки маленький мешок, — у меня в душе все опустилось. Я понял, что все, конец. Это скрипка. Уже купленная, она лежала на столе...

Потом меня повели в консерваторию, в студию — проверить данные. Выяснилось, что я не могу повторить мелодию. Нет слуха! Эту проверку устроила Валя Стрельченко — студентка консерватории, певица, родная сестра знаменитой потом народной певицы Александры Стрельченко. Валя дружила с мамой, снимала у нас угол какое-то время, вот и привела к своему сокурснику «на испытание». А тот говорит:

— Нет у него слуха.

Валя на него кричит:

— Как нет? Я знаю, что есть. Ты ритм, ритм проверь.

Он простучал какой-то сложный ритм, она вновь на него напустилась:

— Это же ребенок, ты что вытворяешь?! Надо просто — есть ритм или нет. Раз есть ритм, значит, есть слух.

И мне стали развивать способности. Оказалось, что слух, конечно, был, а связки не отвечали, и я пел «В лесу родилась елочка» на одной ноте.

Слух мне развили буквально за две недели.

В нашей семье профессиональных музыкантов не было. Но музыка в доме звучала постоянно. Между прочим, родители и познакомились-то в театральной студии. У отца был приятный баритон, у мамы — хороший музыкальный слух и безупречный вкус.

Борис Абрамович, дедушка по папиной линии, знал много советских и еврейских песен, неплохо пел и танцевал. Другой дедушка был репрессирован, я его не знал, но слышал рассказы о том, что у него был абсолютный музыкальный слух и он насвистывал фрагменты симфоний, а скрипичный концерт Мендельсона мог по памяти воспроизвести от первой до последней ноты.

Бабушки тоже не отставали. Папина мама Циля Ефимовна в юности два года проучилась в консерватории по классу вокала. А мамина — Дарья Аксентьевна — прекрасно исполняла родные гуцульские песни.

Брат Женя тоже обладал хорошим слухом, сильным голосом. В школьные годы мы даже пели с ним дуэтом и импровизировали на гитарах.

Что касается меня, то, как вспоминает сегодня папа, я с детства любил «выступать на публику». В шесть лет взбирался на стул и палочкой дирижировал воображаемым оркестром. Чем не предвидение моих нынешних дирижерских увлечений!

Впрочем, один сон я запомнил на всю жизнь: почему-то еду в какой-то машине за рулем. Конечно, все мечтают в детстве порулить, но это была моя машина. Она черного цвета, а я в белой рубашке. Тепло, окно машины открыто. И я — уже гастролирующий музыкант. Еду во Львов. Вот такой провидческий сон был у меня в самом раннем детстве. Конечно, он был не случаен и, скорее всего, оказался следствием маминых мечтаний и действий.

Я — стопроцентный результат маминых трудов.

В то же время совершенно не хочется обижать папу. Он тоже потрясающая личность. Именно он развивал во мне увлеченность музыкой. Правда, не классической, но очень мелодичными эстрадными песнями и романсами. У папы был очень хороший голос.

Через несколько дней после того, как у нас появилась скрипка, в дом ввезли пианино. Это был подарок дедушки:

— Раз внука начали учить музыке, значит, в доме должно быть пианино.

И я впервые, собственно, прикоснулся к музыке именно через пианино. На скрипке я пока только пытался научиться извлекать более-менее приятные звуки, а на рояле одна нотка, другая нотка — и уже получается какая-то мелодия. И мне это нравилось. Папа говорил:

— Ну, давай, вот я спою «Очи черные», или «Я встретил вас», или что-то из репертуара Николая Сличенко или Муслима Магомаева, а ты подбирай музыку.

22

И вот эти песни, романсы мне приходилось просто с нуля подбирать, чтобы аккомпанировать папе. А ему очень нравилось проводить время со мной у пианино. Где-то даже сохранилась фотография — мое первое выступление на сцене. Это был «Голубой огонек» у папы на работе. Папа был ведущим. И вот та самая Валя Стрельченко, из-за которой меня, видимо, вообще начали учить музыке, в этом «Огоньке» принимала участие. Она должна была спеть какую-то песню, популярную тогда. За несколько часов до начала возникла идея, чтобы я ей саккомпанировал. Она выбрала песню «Давай никогда не ссориться, никогда, никогда». И я должен был играть на слух, без нот! Подобрал какой-то проигрыш, очень нервничал... Страшно было невероятно.

И было мне десять лет без одного месяца.

ПРО АЛЬТ, ГИТАРУ И БАКЛАЖАННУЮ ИКРУ

Формально события развивались так. Меня «поступили» в музыкальную школу-семилетку. Но учиться в двух школах — общеобразовательной и музыкальной — было сложно. И после четвертого класса я был переведен в музыкальную десятилетку им. С. Крушельницкой. В скрипичном классе мест не оказалось, и маме предложили записать меня в класс альта. Родители всполошились — что такое альт и кому он нужен... Стали советоваться с музыкантами и в конце концов решили: «Важно не на чем играть, а как играть!»

Для меня же решающим оказался совет одного из моих старших товарищей:

— Альт требует для упражнений гораздо меньше времени, чем скрипка. Получишь больше возможности заниматься гитарой.

Вот это было важно! Я очень увлекался гитарой, а потом электрогитарой. Так что скрипкой занимался для мамы, а гитарой для себя, для сердца. Но собственного инструмента у меня не было, и мне все время приходилось одалживать его. Однажды случилась настоящая трагедия — в трамвае я вдребезги разбил чужую гитару. Весь класс мне помогал. Собирали по 50 копеек, по рублю. Остальное добавила тетя — папина сестра. Гитара была восстановлена. Родители ничего не знали об этом, и потом, когда все успокоилось, я всерьез побеседовал с мамой и сказал, что мне нужна гитара. Я понимал, что это дорого — 240 рублей, поэтому сразу же добавил, не дав ей возможности ответить:

— Если у меня будет своя гитара, обещаю каждый день на час больше заниматься на альте.

Мама поговорила с папой, они, видимо, обсудили с дедушкой, сбросились и купили мне гитару. Мама сделала это, желая, чтобы я играл на альте. Она, как всегда, мудро поступила.

Я был в классе любимчиком именно потому, что имел гитару. Одноклассники были в основном детьми профессоров и потому очень домашними, «правильными», а я — отнюдь не парниковое растение — ездил на велосипеде задом наперед, метал ножик, играл на танцах. Хотя, как я понял позднее, так не бывает, чтобы тебя любили все. Но это уже потом... А пока ты — милый, симпатичный, играешь на гитаре, без ума от «Битлз»...

Это было самое время их взлета, и все сознательное юношество города Львова, как Ливерпуля и Лондона, да и всей Европы, было влюблено в феноменальную четверку. И я тоже не был исключением. Вскоре у меня появилась гитара «Вокс». Гитара той же самой марки, что и у Джорджа Харрисона. Не копия, а именно такая же.

Каким образом это приобреталось? Разные группы и ансамбли завершали свои турне по Советскому Союзу как раз во Львове — играли последние концерты и здесь же часто распродавали свои микрофоны и гитары. Вот так гитара попала ко мне, если не ошибаюсь, от группы «Червони гитары» из Югославии.

Ой, боже мой, я помню, «Песняры» приезжали. Мы вместе играли. Молодой Владимир Мулявин делал три шага вперед и потрясающе виртуозно исполнял что-то на гитаре, а я тоже считался виртуозом, и получался самый настоящий «джем сейшн», так это называется. Много лет спустя мы с Мулявиным встретились в Таллине. Я напоминал-напоминал ему юнца с усами (у меня тогда усы были!) во Львове, но он так и не вспомнил.

А вот совсем другая история.

Как-то летом мы с мамой отдыхали в Закарпатье. Это было в самом начале моего обучения на скрипке. Первую неделю мама говорила:

— Отдыхай, вот неделю отдохнешь, а потом начнем, будешь заниматься каждый день.

И когда я открыл инструмент, выяснилось, что он абсолютно расстроен, а я не могу его настроить, не получается. И тут мама сообразила:

— Помнишь, у реки, возле моста, мы слышали скрипку. Давай пойдем погуляем и, может быть, найдем того, кто играет. Возможно, он сумеет нам помочь.

И мы отправились. Подошли к дому, откуда слышалась скрипка, позвонили... Мужчина серьезного вида открыл дверь, мама ему все объяснила. Он сказал:

— Да, это мой сын играет на скрипке.

Нас проводили в дом, пухленький мальчик моего возраста, может быть, года на два старше, деловито отложил свою скрипку, взял мою и довольно ловко настроил. Мы поблагодарили и ушли.

Через много-много лет во Франции, в городе Туре, в академию, где преподавала вся профессура Московской консерватории, приехал Квартет имени Бородина.

Был теплый вечер, мы сидели во дворе отеля и вспоминали старые времена. С альтистом Митей Шебалиным вспомнили, что как-то перед конкурсом 74-го года я специально приезжал к нему и играл конкурсную программу. В то время Квартет Бородина отдыхал в Закарпатье, в местечке Невицкое — это недалеко от Ужгорода. И тут я к слову рассказал, как бывал с мамой в Невицком в детстве, как не мог настроить скрипку, но...

И вдруг поднимается скрипач Миша Копельман. Оказывается, это был он, тот самый пухлый мальчик. Он никогда об этом не вспоминал, а вот заговорили про это место — изумительно красивое, с водопадом — и все встало перед глазами! И опять мама...

И еще о маме. И о Рихтере.

Как-то у нас с Маэстро случилось большое турне по Европе. Ехали мы вдвоем на машине. Я был шофером и солистом. Он — пассажиром и пианистом. Двигались от Москвы к Парижу и по дороге давали концерты. На обратном пути тоже. Это было насыщенное турне. И Минск, и Брест, и Варшава, и, конечно, Берлин и Франкфурт, и, наконец, Париж. Потом еще его, рихтеровский, фестиваль в Гранж-де-Миле во Франции. И когда на обратном пути добрались до Вены, отыграв около двадцати концертов, он мне объявил, что не успевает выучить две сонаты Кароля Шимановского. Должен сказать, что это технически архисложные произведения, а ему надо было исполнить их через две недели, уже на обратном пути в Польше. Без меня. Он объяснил мне это, извинился и сказал:

— Юра, только вы, пожалуйста, не обижайтесь, но, в общем, я не рассчитал свои силы, и все. Мне нужно остаться здесь и учить сонаты Шимановского.

То есть отменялось пять концертов, и мне нужно было возвращаться домой, в Москву. Честно говоря, я тоже невероятно устал, потому что ежедневное общение наедине с личностью такого масштаба требовало невероятной концентрации. Плюс ко всему я по многу часов в день сидел за рулем, а вечерами мы выступали на сцене. Поэтому предложение Рихтера не вызвало у меня протеста, скорее, я почувствовал какое-то облегчение. И тут он неожиданно добавил:

— Я понимаю, наверное, вы расстроились, потому что мы не сыграем обещанный концерт во Львове. Сыграем! У меня есть идея. Когда я буду возвращаться из Польши и окажусь во Львове, вы прилетите туда, и мы выступим. Там же мама ждет!

Я был очень тронут.

Так все и произошло. Мы действительно дали концерт во Львове. Мама моя была, конечно, счастлива невероятно. Она работала во Львовской консерватории в учебной части, и вот, представьте себе, приехал ее сын выступать с самим Святославом Рихтером.

Единственное, о чем попросил Святослав Теофилович, — чтобы вечером мы не ходили ни в какой ресторан, а посидели бы у меня дома и чтобы присутствовали только самые близкие.

Были мой дедушка, папа, мама и брат. И мы с Рихтером. Был замечательный вечер, ужин. Можете себе представить, как мама старалась. В какой-то момент глаза Рихтера увлажнились. Я встревожился:

— Что случилось?

Он говорит:

— Юра, вы знаете, точно такую баклажанную икру готовила и моя мама.

Потом он поднял тост за меня. Сказал, что с точки зрения музыки у меня все есть. И это говорил мэтр!

— Главное, чтобы голова не подвела, — заключил он.

И я все время сейчас думаю — начала она меня подводить или это еще впереди.

А мама успела все-таки увидеть результаты своих трудов. Потому что с момента, когда я начал делать успехи в музыкальной школе, цель ее жизни, как я понимаю, была определена: сделать из меня музыканта.

Я считаю, что дети и родители — это прямая связь навсегда, если угодно, это кармическая связь. А связь мужа и жены — духовная. Почему в легендах часто рассказывается, что муж и жена прожили всю жизнь счастливо и умерли в один день? Это счастливое совпадение душ. Предназначенность, наверное, существует.

Мама была очень мудрым и талантливым президентом нашей семьи. Каждый, кто имеет власть, мечтает, чтобы его все любили. Когда выбирают лидера какой-то партии президентом, я думаю: как же он потом живет, когда 30 или даже 49 процентов людей его не выбрали? Силы для власти и руководства маме давала невероятная любовь к своему ребенку. Когда я вынужден проявить власть, волю, вспоминаю, как этим пользовалась моя мама, — мгновенно помогает. Секрет прост: подвластный тебе должен получить свободу выбора. Даже если он не готов к самостоятельному решению и нет базы для этого. Поэтому власть в данном случае — только любовь.

ЛЕНИН ЖИЛ, ЛЕНИН ЖИВ, ЛЕНИН БУДЕТ ЖИТЬ

Уже в девятом классе я начал играть в симфоническом оркестре Политехнического института, которым руководил дирижер Львовского театра оперы и балета Семен Арбит. С этим оркестром впервые поехал на гастроли в Москву. И там, по счастливой случайности, произошла моя первая встреча с Вадимом Васильевичем Борисовским, родоначальником русской альтовой школы, профессором кафедры альта и арфы Московской консерватории. Познакомил нас ректор Львовской консерватории, тоже альтист, Зенон Алексеевич Дашак. Но прежде, чем это случилось, в моей жизни произошли два очень важных события. И связаны они были с моим первым серьезным осмыслением музыки.

К семнадцати годам я начал понимать, чем отличается классика от бита, рока, джаза. Может быть, иногда человек просто подводит теорию под свои поступки. Не знаю. Но в ту пору мне наконец открылось, что классика не имеет «потолка» в отличие от того, чем я увлекался. Думаю, только классическая музыка полностью адресуется духовному миру. «Кайфы» — это другая сфера. Конечно, высокий джаз может прорваться в область духовной жизни, но в целом адрес его иной.

А потом я услышал запись альтиста Федора Дружинина. Красота звучания инструмента поразила меня. Я впервые заинтересовался альтом всерьез. Даже начал готовиться к республиканскому конкурсу. И вот тут случились те главные события, о которых я хотел рассказать.

Первое — конкурс скрипачей в Киеве. Он совпал с окончанием школы. На конкурсе у меня не было соперников просто потому, что я был там единственным альтистом. Но мое выступление понравилось, и меня наградили почетным дипломом наравне со скрипачами.

Второе — мне посчастливилось побывать на концерте выдающегося скрипача Иегуди Менухина, гастролировавшего во Львове. И это утвердило меня в решении поступать именно в Московскую консерваторию. Где еще можно было регулярно слушать самых выдающихся музыкантов современности?!

Мама сохранила мое старое школьное сочинение, а папа нашел и даже опубликовал фрагмент из него:

«Главным в жизни человека является стремление к достижению поставленной цели. Поступки человека оцениваются по их нравственности и целеустремленности... Музыка — мое увлечение. Мой идеал — большой музыкант-исполнитель. Все мои стремления связаны с моим идеалом. Это и есть цель моей жизни».

К этому остается только добавить — шел 1971 год. Восемнадцатый год моей жизни. Позади оставался любимый Львов, любимая мама, любимые друзья и любимая музыкальная мама — Зоя Мерцалова, моя наставница, которой я обязан постановкой рук. Впереди была Москва, консерватория и Федор Серафимович Дружинин, к которому я собирался поступать.

Мой друг Игорь Сулыга, замечательный ударник, с которым мы вместе играли в бит-группе во Львове, уехал в Москву и учился на альте у Федора Дружинина. Игорь-то и рассказал мне, что существует такой профессор, тогда еще доцент, и что он самый лучший. И я решил поступать к нему. Когда мне было 14 лет, мама привозила меня в Москву «к какому-нибудь альтисту». Потом оказалось, что как раз Федор Серафимович меня и слушал, я ему очень понравился, и он сказал маме:

— Прекрасный мальчик, но что вы хотите? Он же еще маленький.

Мама говорит:

— Ну, может, в ЦМШ?

Федор Серафимович:

— Понимаете, ЦМШ — это значит интернат, но, раз его так хорошо учат, пусть он еще дома поживет и приезжает сразу в консерваторию.

Я считаю, что это был очень мудрый совет. Так тогда и сделали. Мы даже не знали имени нашего советчика — просто доцент в Москве так сказал.

Как уже говорилось выше, в девятом классе я начал играть в симфоническом оркестре Львовского политехнического института, вместе с которым и приехал на гастроли в Москву. В день приезда Федор Дружинин давал концерт в Малом зале консерватории. Я никогда не забуду Сонату «Арпеджионе» Шуберта в его исполнении. В антракте концерта я встретил в коридоре ректора Львовской консерватории Зенона Алексеевича Дашака. Он спрашивает:

— А ты что здесь делаешь?

— Да вот, случайно оказался, — отвечаю.

Он:

— Быстренько, быстренько!

Взял меня за руку и — к Борисовскому, родоначальнику русской альтовой школы, профессору кафедры альта Московской консерватории.

— Вот, Вадим Васильевич, мальчик, о котором я вам говорил.

Тот:

— А, очень хорошо. Завтра в девять утра жду вас.

Была неловкость, но я пошел, и в результате десять дней подряд, каждый день, Борисовский со мной занимался. Потом во время школьных каникул я дважды ездил к нему в Москву на консультации. Брал у него уроки. И, естественно, поступал уже к нему.

Приехал я в Московскую консерваторию со своим первым фабричным альтом, купленным за 97 рублей, и — редкий случай — получил пятерку с плюсом по специальности. Вадим Васильевич поздравил меня с поступлением в консерваторию и сказал, что уезжает на дачу. А специальность — это только первый экзамен. После него еще много разных других экзаменов. Нужно было набрать проходную сумму баллов.

— Извините, Вадим Васильевич, вы поздравили меня с первым экзаменом?

— Что сказал, то сказал, дорогой мой.

И уехал. Только потом я осознал силу этого человека. Он, видимо, просто сказал в ректорате, что вот очень талантливый мальчик ко мне поступает, я его беру в свой класс. И все.

Дальше я писал сочинение. Это был, по-моему, последний экзамен. Ну совсем у меня ничего не клеилось. Музыкальные предметы я сдавал с шиком, всем писал диктанты и задачи по гармонии, потому что делал за полторы минуты то, на что давалось два часа.

А вот обычное сочинение — никак!

Уже подходят, а у меня почти пустой лист, я с ужасом думаю, что провалил этот экзамен, не поступлю в Московскую консерваторию, — тут же перед глазами мама, дедушка, профессор и все. На нервной почве пишу: «Ленин жил, Ленин жив, Ленин будет жить». И тут понимаю, что это ведь Маяковский. А у меня тема — «Ленин в творчестве Горького». Что делать? И я добавляю: «...писал Горький».

И что вы думаете? Четверку получил! Борисовский был прав, когда поздравлял меня с поступлением в консерваторию после первого экзамена.

Через год Вадим Васильевич умер, и я оказался в классе Дружинина. Конечно, замечательно, что он меня взял, но через год или два в наших отношениях возникла напряженность, и я перестал к нему ходить. Дело в том, что были вещи, которых я не мог принять. И он в конце концов не выдержал и при полном классе сказал:

— Так, если я тебе нужен — ходи, если я тебе не нужен — можешь не ходить на уроки.

Стало абсолютно тихо. Я собрался и сказал:

— Я сейчас уйду, но не потому, что вы мне не нужны, а просто из сегодняшнего урока ничего хорошего уже не выйдет.

И ушел. После этого не ходил к нему весь семестр, прятался по коридорам, когда видел, что он идет. Занимался сам. И однажды мы с ним все-таки неожиданно столкнулись в консерватории. Дружинин спросил:

— Что-нибудь случилось?

— Нет.

— Родители живы-здоровы?

— Да.

— Ты что, уезжал?

— Нет.

— Но ты завтра придешь на специальность?

— Да.

— Я тебя жду.

Я пришел, сыграл, и он сказал:

— Ну что ж, благословляю. Если так и на экзамене сыграешь, чистая пятерочка будет. Молодец.

Это была Концертная пьеса Джордже Энеску. Очень понравилось, как я сыграл на экзамене, профессору Михаилу Никитовичу Тэриану. Оказывается, он всю жизнь ненавидел это произведение и теперь не просто принял его, а полюбил. Федору Серафимовичу было очень неловко, потому что только он и я знали, что все это я сделал сам. Хотя он был вправе и не допустить меня до этого экзамена, если бы захотел навредить.

Вообще я о Дружинине могу говорить только в превосходных степенях. Он потрясающий педагог и очень много мне дал. До Москвы я умел играть на инструменте так, как умел. Что касается эмоций, которые ты вкладываешь в свое исполнение, так этому тоже научить практически невозможно, потому что эмоциональная сфера — от природы и от родителей, а не от консерватории. А вот звук, логика развития фразы, ощущение формы и, самое главное, ВКУС!!! — это Федор Серафимович. Вкус аристократического исполнителя, а не плебея... У Дружинина это всегда присутствовало — в речи, в том, как он выражал свои мысли. Федор Серафимович — эстет, и к этому сам стремился всегда. Я многому у него научился, хотя многое переосмыслил по-своему. Так, краски звука я старался услышать внутри себя сам, а дальше — пытался воплотить их в разучиваемых с профессором сочинениях. И пожалуй, это самое главное.

Вообще нельзя забывать, что кто-то должен быть кумиром для студентов, герой должен быть. У скрипачей был Давид Ойстрах. А ведь когда я учился, Борисовский сам уже не играл, а выступал только Дружинин. Он исполнял сонаты Онеггера и Хиндемита, Тринадцатый квартет Шостаковича, затем, конечно, его Сонату. В общем, в то время, когда я учился, концерт Дружинина был событием. Концертом АЛЬТИСТА!

И все равно я в его классе был чужаком. Он меня, с одной стороны, любил, это ясно, и ему льстило, что у него такой студент, а с другой — не чувствовал своим учеником в полной мере. Тем не менее, когда меня выгоняли из консерватории, он активно заступился.

Выгоняли меня из-за наглого подлога. История такова. Когда я был на первом курсе, впервые в Камерном театре была поставлена опера Дмитрия Шостаковича «Нос». Дирижером был Владимир Дельман. Потом в некоторых изданиях ошибочно писали, что дирижировал Геннадий Рождественский. Там работали очень сильные студенты. То, что меня пригласили, было очень большим делом: и финансово, и престижно, а главное, конечно, интересно. У меня была очень трудная оркестровая партия. Позже, в сентябре, в начале моего второго курса, спектакль повезли в Сочи.

Мы уехали (нам показали общее разрешение на выезд, освобождающее от лекций). А уже там, в Сочи, выяснилось, что бумага фиктивная. Никакого разрешения на самом деле не было. В Сочи — бархатный сезон, обратных билетов не достать, но мы кто как мог, чуть ли не пешком вернулись в консерваторию. И двенадцать человек тогда исключили. Шум в консерватории был невообразимый. Восемь человек духовиков по протекции комсомольской организации восстановили, со строгими выговорами. А четвертых, это были струнники: я, Толя Гринденко (сейчас он руководит хором «Древнерусский распев»), Лариса Колчинская и Славик Чижик — восстановить отказались. Почему же за нас не поручился комсомол?

Толя Гринденко в свое время, путешествуя по Туркмении, случайно перешел границу с Афганистаном и ночью развел костер на нейтральной полосе. Утром проснулся, а на него направлен штык пограничника с той стороны. Ну, вернули его, правда, он пару дней просидел в КПЗ. Тогда он срочно был отчислен из консерватории задним числом — якобы в момент перехода он уже не был студентом. Но Андропов лично заставил восстановить Толю со строгим выговором. Понятно же было, что это — дурацкий случай: человек не будет специально разводить костер на нейтральной полосе!

Чем же провинился я?

В общежитии я жил в одной комнате с Юрой Лисицыным, теоретиком по специальности. У него была больная печень, и поэтому он постоянно пил «Нарзан». Я практически вообще не пил спиртного. Тем не менее наш шкаф ломился от пустых бутылок из-под «Нарзана», которые были один в один похожи на бутылки из-под пива или какой-нибудь дешевой бормотухи. В результате помощник проректора по административной работе решил, что мы «киряем по-черному», и объявил выговор только из-за того, что начиналась очередная кампания по борьбе с алкоголизмом.

Про остальных я не помню, но в целом за всеми нами водились какие-то грешки, и нас решили не оставлять в консерватории. Дальше были сплошные нервы. Приезжали родители, у мамы моей случился микроинфаркт и началась очень серьезная болезнь, которая в конце концов и привела к ее преждевременной смерти.

Весь курс встал на нашу защиту, письмо написали, что протестуют против решения ректората. И это в те времена!

Ректором тогда был Александр Васильевич Свешников. И он поначалу попытался нас восстановить. Было общее собрание, и он сказал:

— Давайте так. Если вопрос не будет подниматься на районной конференции, то мы тихо, без лишнего шума восстановим. Ну не в колхоз же, действительно, ребят отправлять, и не в армию — руки будущим музыкантам надо беречь.

Но нашелся среди наших однокурсников один «принципиальный» (он, видимо, хотел, чтобы на него обратили внимание), который вышел к сцене и сказал:

— Нет, наши коллеги наказаны незаконно, и мы не должны закрывать на это глаза.

Что оставалось делать Свешникову?! Он встал и говорит:

— В то время, когда все нормальные люди в колхозе помогают убирать урожай, эти, понимаете, поехали в Сочи отдыхать! Без разрешения!

Ну, и нас окончательно исключили.

И еще месяц! Он стоил огромных нервов, доходило до мыслей о самоубийстве. Переживали страшно. Мой папа был все время в Москве, он ходил и к ректору, и ко всем проректорам, и к декану. У него тогда даже ноги стали отниматься. Потом он нередко любил повторять: «Да, Москва слезам не верит».

И Дружинин тоже ходил везде и убеждал, что меня не надо исключать, но поскольку Федор Серафимович сам был студентом, когда Свешников уже был ректором, то тот спокойно мог сказать ему:

— Федя, закрой дверь с той стороны.

Это очень важно — что многие за нас просили. Профессор Григорян ходил, Милица Давыдовна Штерн. Я так думаю, что в ректорате понимали несправедливость исключения, но им надо было сделать процесс восстановления показательным! Наконец Свешников вызвал родителей и нас и сказал:

— Всё, с сегодняшнего дня вы вновь студенты Московской консерватории.

Назавтра он улетал со своим хором в Японию, и ему, похоже, вопрос этот хотелось решить до вылета.

***

С Дружининым связаны и другие хорошие воспоминания. Вот, например, я спрашивал его — жениться мне или нет. А он ответил:

— Знаешь, дорогой, Наташенька замечательная, она мне очень нравится, женись по чувству, а будешь работать честно, тебе от Бога и приложится.

Вот фраза! По-моему — прекрасная. Позже Дружинин был у меня на свадьбе тамадой и одновременно единственным взрослым человеком, которого я пригласил.

Собственно, это была первая свадьба — молодежная, студенческая. А потом их оказалось несколько. Когда поехали к моим, во Львов, поезд остановился в Киеве. Киевские друзья моих родителей просто вынули нас из вагона и устроили свадьбу в Киеве.

Когда мы добрались до Львова — и там была

свадьба. А потом — раз была у нас, то как же не праздновать у жены? Поехали в Сумы, к Наташе. Так у нас и получилось четыре свадьбы.

«А, ЭТО ТЫ, СТАРИЧОК! НУ САДИСЬ, ПОСЛУШАЙ!»

Итак, я приехал из Львова, где был местной звездой-гитаристом, руководил ансамблем, который не успел хорошо «раскрутиться» из-за моего отъезда, хотя имел все данные для этого. А здесь, в Москве, в консерватории, хоть я и поступил легко, нужно было снова, уже по-настоящему добиваться признания. Каждый из студентов делал это по-своему. Кто-то ударился в общественную работу, а я вгрызался в музыку. И еще я придумал такой способ борьбы со своим комплексом провинциала: просто и прямо, как равный с равными, подходил и заводил разговор с великими московскими музыкантами. Так я «познакомился» с Ойстрахом, Коганом и Ростроповичем. Совершенно разные три характера и, соответственно, разная реакция.

Давид Федорович улыбнулся, но я в этой улыбке увидел искреннее непонимание ситуации. Пытаясь вспомнить, кто я, на всякий случай доброжелательно улыбнулся, протянул пухлую руку, в которой моя тут же утонула, и сказал:

— Здравствуйте! Простите, а вы кто?

А у меня сердце прямо так в горле и стучит от волнения!

— Давид Федорович, я студент первого курса, просто хотел сказать вам — здравствуйте. Вы меня, конечно, не знаете.

— Очень мило. На каком инструменте играете?

— На альге.

— У кого учитесь?

— У Вадима Васильевича Борисовского.

— Ну, это замечательный альтист. Прекрасно. Я вам желаю успеха. Если хотите, добро пожаловать, можете приходить ко мне в класс на урок.

Вот так мило мы пообщались с Давидом Федоровичем.

Следующим был Леонид Борисович Коган. Он ходил быстро, лицо напряженное, как будто чем-то недоволен. Роста маленького, а руки длинные. Складывалось впечатление, что футляр от скрипки вот-вот коснется пола.

Я ему:

— Здравствуйте, Леонид Борисович!

Он не остановился ни на секундочку, быстро развернулся, понял, что это какой-то незнакомый мальчик, и так же стремительно пошел дальше.

А потом попался мне Ростропович. Все каким-то образом уже знали, что Ростропович прилетел, что он уже в Москве после гастролей. Ростропович буквально врывался в консерваторию. Его еще и в коридоре не видно, а энергия уже чувствуется, извещая всех и вся, что «Слава» только что прошел или сейчас будет здесь. И вот как-то передо мной в конце коридора возник столб воздуха. Ростропович появился с виолончелью в футляре на колесиках, за ним толпа студентов. Конечно, не только виолончелистов — все спешили за ним в класс, чтобы поприсутствовать на его уроке.

Я сказал:

— Здравствуйте, Мстислав Леопольдович!

Он повернулся:

— А, друг дорогой!

И тут же обнял меня и потащил в класс. Мест там не было, но он поднял одного своего студента и сказал:

— Старичок, принеси-ка быстренько стул!

Тот ушел куда-то, принес стул. Ростропович поблагодарил его и усадил меня на этот стул рядом с собой. Я был совершенно в восторге от того, как он занимался, от его энергии, образов, юмора и стремительности. Хватал виолончель, показывал, как и что должно прозвучать. Потом садился к роялю, начинал аккомпанировать, очень инициативно, подталкивая своего студента, помогая ему найти верный темп или нюанс. Невероятная личность!

В те годы, когда я учился, он, бесспорно, был сердцем музыкальной жизни Москвы. А может быть, и всей страны. Он настолько естественно музицировал! У него такая гармония! Удивительная пластика в правой руке, потрясающая передача вибрации и соединения нот. Но главное, все это проходит через душу. Ему всегда есть что сказать, и это необязательно текст, необязательно программа, но обязательно состояние и полная погруженность в то, чем он в данный момент занимается. И конечно, мгновенный контакт со слушателями. Это уникальное дарование. Уникальное!

Меня так и тянет тут же продолжить рассказ про «Рострапа» — уж больно много всего было связано с ним в моей жизни, но я наступаю себе на горло и слышу его голос: «Давай, старичок, давай... чуть позже... иначе упустишь нить собственной жизни».

ПЕРВЫЕ ФИРМЕННЫЕ БРЮКИ
ЗА ПЕРВЫЙ СИМФОНИЧЕСКИЙ КОНЦЕРТ

Впервые я выступил в Большом зале консерватории с симфоническим оркестром под управлением Вероники Дударовой. Исполнял я Концерт для альта с оркестром молодого композитора Валерия Калистратова. Ему, видимо, кто-то сказал, что есть талантливый студент-альтист и ты, мол, его попроси. Мы не были до этого знакомы, и мне не хотелось играть, потому что концерт должен был состояться через пять дней после окончания второго курса. Весна, лето, скорее бы домой уехать, отдыхать. Все уже отбыли, а ты еще пять дней один в общежитии... Калистратов, видимо, понял мои чувства и добавил, что за концерт с оркестром я получу гонорар.

— Сколько?

— Тридцать рублей.

И я остался. Начал учить концерт. Он мне понравился, и потом — это же все-таки Большой зал консерватории.

Я занимался, учил, а на эти тридцать рублей у австрийца Эдди в общежитии купил себе замечательные голубые брюки. Первые мои фирменные брюки... Никогда больше я не играл этот концерт. Правда, через несколько лет он мне неожиданно очень и очень помог.

Я не успевал на гастроли в Германию, пропустил самолет, и вся гастрольная поездка оказалась под угрозой срыва. Позвонил прямо из аэропорта в Госконцерт Инне Андриянко, которая «заведовала» этой страной, и сказал, что, к сожалению, не успел на самолет. Она на меня накричала, бросила трубку. Ну что делать? Я вошел в какую-то открытую дверь, там сидели девушки из «Аэрофлота», и стал говорить:

— Вот такое случилось, поймите меня, как же быть теперь? Там мне голову оторвут. Можно все-таки как-то улететь?

— Ой, ну вы действительно попали. А на чем играете?

— На альте.

Это им ничего не говорит, о ужас! И вдруг вижу на стене колоссальный по тем временам календарь, на котором сфотографирован Большой зал консерватории. Сидит симфонический оркестр, стоит спиной Дударова, и я стою, солист. Играю этот концерт Калистратова. Вы можете себе представить? Я говорю:

— Так вот же я!

И тут же был отправлен каким-то рейсом.

И ОКАЗАЛОСЬ, ЧТО ЭТО СУДЬБА!

А начну я вот с чего. В Московской консерватории всегда царил дух подготовки к конкурсам. Практически все куда-то готовились. Может быть, не все играли на прослушивании или играли, но не проходили и не могли поехать, но, в общем, этот дух был и у пианистов, и у скрипачей, и у виолончелистов. Но альтовых конкурсов не было, во всяком случае, я о них не знал. А раз так, я собрал квартет, пригласил в него друзей — Сашу Винницкого, Мишу Ваймана и Йосика Фигельсона — и предложил:

— Давайте будем квартетом заниматься.

Мы много играли вместе уже на первом курсе, хотя квартетный класс начинался с третьего.

Я подошел к Асатуру Григорьевичу Григоряну, профессору по квартетному классу, и сказал: вот, мы создали квартет, несмотря на то что только через два года должны посещать квартетный класс, и хотели бы иногда показывать свои достижения. Не против ли он как-то нас курировать и прослушивать. А он и говорит:

— Что значит — иногда? Приходите в класс регулярно в такие-то дни.

Через несколько месяцев выяснилось, что мы — лучший студенческий квартет консерватории. И понятно почему! Два замечательных скрипача, оба учились у Ойстраха, виолончелист — у Ростроповича, а я занимался тогда у Борисовского.

Мы прошли несколько классических квартетов. Конечно, там были и Моцарт, и Бетховен. Но случаются же в жизни такие трагикомические ситуации! Хотя нас назначили от кафедры камерного ансамбля консерватории на конкурс «Пражская весна», никуда мы не поехали. Когда я радостно влетел в общежитие и объявил скрипачам, что нас посылают на конкурс, ответом мне была некоторая растерянность. Оказалось, что Давид Федорович Ойстрах уже предложил Саше Винницкому готовиться к конкурсу в Монреале, а Мише Вайману — к конкурсу в Париже. И как же они будут готовиться на сольный конкурс и на квартетный одновременно? Я, расстроенный, обреченно пришел к Йосе Фигельсону, виолончелисту, и говорю:

— Представляешь, наши скрипачи не могут.

А он отвечает:

— Не хочу тебя расстраивать, но мне Ростропович предложил готовиться к конкурсу Чайковского.

Но я хочу готовиться и туда и туда. А скрипачей мы и других найдем.

Искать других скрипачей мы не стали, и идея не осуществилась. Зато Саша Винницкий — первая скрипка в нашем квартете — неожиданно нашел другое решение.

Как-то раз мы вместе вышли из консерватории, и он сказал, что должен зайти в министерство. Мы шли и о чем-то разговаривали, и тут он неожиданно предложил:

— Слушай, мне нужно зайти в конкурсный отдел, давай вместе пойдем, если ты не очень спешишь.

Я даже не знал, где этот отдел находится. Мы вошли в здание, потом я стоял у двери какого-то кабинета. Саши не было минут двадцать. Наконец он вышел, как-то заговорщицки на меня посмотрел и сообщил шепотом:

— Кажется, сейчас вынесут программу альтового конкурса.

Есть сольный конкурс! Это было для меня главное! И действительно, появилась программа конкурса в Будапеште. В программе очень сложное произведение — «Чакона» Баха на альте. Это не на скрипке сыграть!

Я мечтал скорее добежать до своей комнаты в общежитии, чтобы достать ноты, альт и заниматься. Жизнь приобрела смысл!

Я уже с неделю занимался помногу «Чаконой» Баха и вдруг встретил в коридоре учителя моего, Дружинина, который говорит:

— Знаешь, я вот смотрю, ты у меня тепленький такой, старательный, занимаешься, активно посещаешь уроки по специальности. А вот есть конкурс. Но меня пугает там «Чакона» Баха. Это очень сложно!

Я пришел к нему через три дня, сыграл «Чакону». Он был в шоке. Он ведь мне сказал три дня назад!

Мне хватило ума не просить о конкурсе. Я все ждал, когда он сам мне предложит, а тем временем занимался, учил программу. В общем, прошел на этот конкурс.

Но еще ведь надо было сдать сессию! И в первую очередь диалектический материализм. На экзамене все складывалось не лучшим образом. Когда принимающий увидел, что я достал книгу и начал списывать, он подошел и сел рядом. Все. Так он посидел-посидел, а через двадцать минут сказал:

— Ну что, вы, видимо, готовы, вам не надо ничего записывать. Пойдете отвечать?

Я говорю:

— Да. — И добавляю: — Понимаете, я сейчас готовлюсь к конкурсу и, собственно говоря, мог только последние три дня заниматься. Суть вопроса я в общем знаю.

Он кивает:

— Мне и не нужно по учебнику; если вы понимаете смысл вопроса и сумеете его объяснить, то этого достаточно.

Я отвечаю. Вопрос звучал так: «Диалектика и причинно-следственная связь».

— Понимаете, я готовлюсь к конкурсу — это следствие того, что у меня были хорошие педагоги и следствие моей хорошей подготовки. Я только начал готовиться к диамату, как у меня страшно разболелся зуб. Я пошел к врачу, и мне его с большим трудом удалили (тут я ему показал дырку, она, конечно же, была старая). Дальше я долго мучился, и это было причиной того, что я сейчас не готов. Но это еще не все. Сейчас вы мне вкатите пару, а с парой не пускают на конкурс. Соответственно,

46

вследствие того, что я не готов к экзамену, я не поеду на конкурс. А это уже будет причиной того, что изменится вся моя жизнь. Так что, думаю, причинно-следственная связь здесь явственно прослеживается. А дальше, наверное, возникает вопрос — от каждой ли причины зависит следствие. И является ли это следствие причиной другого следствия или нет, что не всегда нам известно. То есть предположить все тоже невозможно.

Ну, у мужика глаза на лоб. Он говорит — замечательно. Следующий вопрос. А там были разночинцы. Я говорю:

— Как странно, что вы продолжаете меня спрашивать о чем-то, я же не только этот конкретный вопрос не подготовил, а вообще к экзамену не готов по этой причине.

Он закричал:

— Трояк ему!

А там сидела мой преподаватель по диамату Веселовская:

— Как трояк? Он мой лучший студент. Пятерку.

— Трояк!

Она тихо поставила четыре, и я пулей вылетел из класса. Потом я долго ждал в коридоре, пока сдаст экзамен Наташа моя, тогда еще не жена. Курил, и на моих глазах один за другим вылетали студенты, получившие двойки. Такое вот вышло следствие, а причина — мой диалог с преподавателем. Так или иначе, а дорога на конкурс в Будапешт была открыта.

Дальше получилось все не так, как ожидали в Москве. И не так, как я сам ожидал. Мне присудили вторую премию, несмотря на то что вся пресса на протяжении конкурса говорила обо мне как о лидере. Я попытался свыкнуться с этой мыслью, но зарекся когда-нибудь еще участвовать в конкурсах. Понял, что подобные мероприятия редко бывают справедливыми...

Потом, правда, выяснилось, что, согласно Указу Министерства культуры СССР, лауреат первой премии международного конкурса не имеет права участвовать в другом международном конкурсе. Этот указ действовал несколько лет, может, пять-шесть. И оказалось, что это Судьба! Везение! Да, я получил не первую, а вторую премию в Будапеште, но благодаря этому появилась возможность через год поехать на конкурс в Мюнхен.

Через десять лет я был членом жюри конкурса альтистов в Будапеште, и после того, как мы подсчитали баллы и присудили все премии, председатель жюри поднял бокал и произнес:

— Прежде всего, дорогие коллеги, хочу сказать при всех, что вот этот молодой человек участвовал как-то в нашем конкурсе (я был тогда его вице-президентом) и набрал баллов больше всех. Это была явная первая премия, но дали мы ему вторую. Десять лет я ношу этот камень в душе и сейчас хочу, чтобы все об этом знали. Дорогой, извините, но я ничего не мог сделать. Председателем был другой человек, да и представитель Советского Союза был против.

Вот так через десять лет мои подозрения подтвердились.

ИДУ ОДИН ПО ШИРОКОЙ, ТЕМНОЙ, ХОЛОДНОЙ УЛИЦЕ И... О УЖАС!

Тут даже не одна, а целых две истории. Первую, почти мистическую, про неожиданную мою болезнь в Мюнхене, про Мишу Мунтяна, про чудесное мое воскрешение, я расскажу чуть позже. Это отдельная история, которая к конкурсу как таковому отношения не имеет.

Вторая история — собственно про конкурс. И здесь события складывались следующим образом. Первый тур я играл на нервах, на колоссальном напряжении сил.

На втором и третьем турах я совершенно не испытывал конкретного волнения и просто музицировал, как во время концерта. Как выяснилось, на первом туре я оторвался на три балла от следующего конкурсанта. Это был немец — все происходило в Германии. Три балла — очень много. На конкурсах обычно десятые и сотые решают. Мне поставили 22 балла при 25-балльной системе. Ему — 19. Остальным — 18 и меньше. На втором туре, когда мне дали уже 23 балла, ему поставили 20. Опять три балла отрыв. А условие конкурса таково, что только единогласное решение жюри может привести участника к первой премии. Если хоть один член жюри против, победы не видать. А победитель может завтра в самом серьезном зале давать сольный концерт. В жюри был мой учитель Дружинин. Он не имел права со мной общаться, но, когда последнее заседание кончилось и я вошел, он мне сделал знак — всё! Всё есть!

На этом конкурсе случилось еще одно везение. Во время второго тура в класс, где я занимался, вошел красивый, седой энергичный мужчина и сказал, что хочет передать посылку в Москву. Представился, объяснил, что он импресарио, фамилия его Хёртнагель, живет в Мюнхене. А потом спросил:

— Можно я немножко посижу, послушаю?

Через несколько минут у меня уже было приглашение на гастроли по ФРГ. Это на втором туре! Я ему говорю:

— Есть только одна проблема — конкурс не закончился.

— Нет вопросов, ясно, чем закончится!

— Ну, так нельзя говорить, тьфу-тьфу! Нет-нет! Правда, честно говоря, я уже лауреат другого конкурса — в Будапеште.

Он:

— Гениально! Но это сейчас не имеет никакого значения, я вас приглашаю вместо Баршая.

Рудольфа Баршая не выпускали, поскольку он женился на японке и подал заявление на ПМЖ, что называется. А знаменитый Московский камерный оркестр не мог выехать без него на гастроли. Все семнадцать городов Германии отказывались принимать оркестр без него. Сообразительный менеджер понял, что если сейчас я стану победителем и, естественно, средства связи и информации разнесут мою фамилию по всей стране, то это будет замена неприехавшему Баршаю, который, кстати говоря, помимо того, что был блестящим руководителем лучшего в то время камерного оркестра мира, являлся еще и замечательным альтистом.

Хёртнагель в тот же вечер послал телеграмму в Госконцерт. Дальше фантастика. Оттуда ответили, что гастроли состояться не могут, потому что я очень болен. Классический прием! Я даже могу назвать фамилию человека, который писал ответ. Это Людмила Тихомирова. Я ее тогда не знал еще, как и не знал порядков в Госконцерте, поскольку ни разу еще не ездил на гастроли.

Хёртнагель послал еще один телекс с просьбой: в связи с невозможностью приезда Баршая он просит рассмотреть и положительно решить вопрос о том, чтобы Башмет приехал с Московским камерным оркестром. Отказ опять — и опять со ссылкой на то, что я болен и приехать не смогу. Они там даже не знали, кто я такой. Жена Хёртнагеля, Элизабет, ответила, что Башмет сидит рядом с ней, очень хорошо себя чувствует и согласен приехать.

Сейчас невозможно восстановить все перипетии этого чудовищного диалога с бесконечными отказами, ультиматумами. В конце концов Госконцерт сломался и разрешил мне ехать. Так началась моя зарубежная концертная деятельность. После семнадцати концертов в Германии я по правилам конкурса, как победитель, обязан был выступать и делать записи на разных радиостанциях по всей Германии: в Франкфурте, Кёльне, Саарбрюкене, Эссене и, конечно, на «Баварском радио» в Мюнхене. Они транслировали записи не только по стране, но и за рубежом. Вслед за этим появилась Дания, любители музыки которой впервые услышали меня по радио. И вот так постепенно альт стали признавать в Европе сольным инструментом.

И еще одна деталь. На конкурсе 1976 года в Мюнхене было пять инструментов. В результате очень сурового отбора первую премию дали только альту. Таким образом, кроме того, что я получил первую премию среди альтов, я еще стал и чемпионом всего конкурса. Это тоже усилило шум вокруг меня.

И вот представьте себе... Иду я по Мюнхену один, и не по оживленной улице, где много витрин и магазинов, а по довольно темной, холодной, какой-то бесконечной, широкой улице. Иду. И вдруг возникает мысль: а что, если взять и не вернуться?..

Меня прямо пот прошиб от одной этой мысли. Я подумал: боже мой, какой кошмар! Вот тогда я понял, что никогда этого не сделаю... Зарекаться, конечно, не надо, но уже столько лет прошло... Полжизни. Мне было тогда 24 года.

Мы с Мишей Мунтяном оставались в Мюнхене еще неделю, пока другие инструменты заканчивали свои конкурсы. Потом был гала-концерт и вручение премий. После этого пришлось еще неделю погулять по Мюнхену, но уже победителем — меня узнавали, просили автограф. Это из-за телевидения, конечно, и из-за газет с моими фотографиями.

В Москве в Шереметьеве меня встретили друзья, жена. Они пришли с магнитофоном. На весь аэропорт громко включили скерцо из Шестой симфонии Чайковского!

Было потрясающе приятно. И вообще хорошо вернуться домой. Хотя ждали меня сплошные проблемы. И прежде всего житейские. Квартиры в Москве не было, а я уже женат, и у нас котенок.

В общем, одна моя сокурсница предложила на месяц свою пустующую комнату в общей квартире.

— Раз уж некуда деваться, живите.

И я залег там, в самом прямом смысле слова.

Из Мюнхена я привез замечательную по тем временам звуковую аппаратуру и множество пластинок. В основном джазовых. Оскара Питерсона и Каунта Бейси, Дюка Эллингтона и Дэйва Брубека. Вся их философическая музыка необычайно точно ложилась на мое состояние. Я был совершенно обессилен, целыми днями валялся на кровати и вставал только для того, чтобы поменять пластинку.

Как вдруг однажды зазвонил телефон. Это был Гидон Кремер...

И началась совершенно новая, неожиданная, потрясающая история. Но о ней позже, в свое время.

А сейчас мне хотелось бы снова вернуться к незабвенным годам консерваторской жизни и Мстиславу Леопольдовичу Ростроповичу.

«ЗАТО У МЕНЯ САДОВНИК —
ЛАУРЕАТ НОБЕЛЕВСКОЙ ПРЕМИИ»

Прежде чем рассказать об очень важном, драматическом эпизоде в моей жизни — две смешные истории про Ростроповича. Вторая, правда, не только смешная. Но все-таки она очень важна для поддержания духа и накопления жизненной силы...

Вот они.

Первая похожа на легенду и передается из поколения в поколение консерваторцев и вообще музыкантов. Я проверял. Таких историй-легенд у Ростроповича много. И все очень похожи на правду.

Она про двух студентов, которые всегда появлялись на лекциях в нетрезвом состоянии. Это заметили. Сначала комсомольская организация, потом деканат, ректорат. В конце концов один студент был отправлен их выследить, где же и как они напиваются, поймать их на месте преступления. Неделю пытался их выследить — ничего не удавалось. Все равно они на лекциях пьяные. Однажды он приехал за час до начала лекций и подстерегал их во дворе консерватории. Те двое появились с разных сторон улицы Герцена, поздоровались, вошли в консерваторию, постояли немножко и зашли в туалет. «Наблюдатель» застукал их: они вводили себе водку через клизму — запаха не было, алкоголь мгновенно всасывался, и они пьянели. Вот такая история.

53

В результате члены Большого совета профессоров Московской консерватории несколько часов осуждали это безобразие, говорили о том, что их нужно исключить из комсомола, из консерватории... Ростропович был тогда одним из самых молодых профессоров. Где-то в конце заседания он вдруг попросил слова. Ректором был Свешников. Ростропович вышел на кафедру и сказал:

— Это, конечно, безобразие. Полное безобразие. В этих святых стенах такое происходит! Позор! Позор! Их надо выгнать из комсомола, из консерватории. Безобразие! Вот только одного не могу понять — как же они пили на брудершафт?

Заседание было смято.

Другая история — чистый анекдот, в основе которого реальный факт. Вы помните события с Солженицыным. И знаменитую шутку Ростроповича, когда он позднее как бы спорил с Рейганом — у кого что лучше. Один говорил про свой дом. Другой — про свой. Тот про машину, и этот про машину. Ростропович явно проигрывал Рейгану. И вдруг совершенно неожиданно победил, потому что сказал:

— Зато у меня был садовник — лауреат Нобелевской премии.

Он имел в виду Солженицына, который жил, как известно, на его даче и которого в то время нещадно преследовали. И Ростроповича, конечно, тоже.

Атмосфера была невероятно накалена. Все шло к тому, что Мстиславу Леопольдовичу придется уехать из страны. И все понимали, что это навсегда. А если учесть любовь к нему студентов, можно представить, каково нам всем было.

И в самом деле, он очень тяжело уезжал. Перед отъездом готовил «Летучую мышь» в Театре оперетты. Были закуплены дорогие костюмы, в главной роли собиралась выступить Галина Вишневская. И нужно было усилить оркестр, потому что в оперетте состав музыкантов был не очень хорош. Ростропович обратился в ректорат консерватории, и для него подобрали лучших студентов. Я попал в этот список и оказался буквально в гуще событий — за два месяца до его отъезда.

На первой же репетиции произошел такой случай. Естественно, мы, студенты, повинуясь какому-то этическому импульсу, сели за последние пульты. И вдруг в какой-то паузе раздается металлический голос концертмейстера альтов — а это был опытный оркестровый музыкант:

— Слава, вон там мальчик замечательно играет, давай посадим его сюда, ко мне.

И тут, совершенно без всякой паузы, Ростропович выдал:

— Да, это ваше будущее! Иди сюда!

Через много лет он говорит мне:

— А ты помнишь, что я первый сказал о тебе, когда ты еще сидел там, в оперетте...

Известно, что эта премьера скандально не состоялась. Ее запретили, видимо, по установке сверху. Безумно жаль. Были потрясающие репетиции, общение во время репетиций и в антрактах. А когда нам не выплатили зарплату, Ростропович возглавил наше шествие-протест.

Но пока еще репетиции продолжались, никто не мог предполагать даже, что премьера не состоится. Одновременно Ростропович начал готовить свой прощальный концерт с оркестром студентов Московской консерватории. Гвоздем программы должна была стать Шестая симфония Петра Ильича Чайковского. Все, кто участвовал в оперетте, были официально освобождены от оркестра, потому что иначе на несколько месяцев жизнь студента превратилась бы в чистый кошмар — ни о какой учебе не могло быть и речи. С утра до трех часов дня оперетта, с четырех до семи — оркестр. И все. Дня нет.

Но на одной из репетиций Ростропович подошел ко мне со словами:

— Старик, я понимаю, это очень сложно. Старик, ну ты для меня сможешь и туда тоже ходить?

Таким образом, я стал общаться с ним последние недели буквально с утра до ночи — то в оперетте, то на репетициях Шестой симфонии. И как-то в Большом зале консерватории, в антракте во время репетиции, он вдруг подошел ко мне, поцеловал в затылок и сказал:

— Старик, я уезжаю, а дело мое живет. Люблю тебя.

Я в этот момент переполнился каким-то таким чувством: вот, мол, сам Ростропович так меня оценивает! Я смотрел на него, как на Бога прямо, а он повернулся и указал пальцем на девушку, которая впоследствии стала моей женой:

— Вкусы, старик, у нас с тобой одинаковые!

Вот, значит, почему дело его живет... А я-то думал, что он так меня хвалит.

«ГЕНИАЛЕН БЫЛ НАШ ИЛЬИЧ...»

Шестая симфония — это событие, эпоха для каждого музыканта. Столько находок было в ее трактовке, я бы даже сказал — исторических находок.

На репетициях очень помогал Геннадий Рождественский, он часто сидел в зале. Ему тоже нравилась трактовка Ростроповича. Я помню все детально, может быть, поэтому самая большая моя мечта — продирижировать эту симфонию. Но я как-то до сих пор не решаюсь. Там были такие точные попадания, такие неожиданные, глобально новые повороты и решения. В том числе финал. Ростропович начинал его attacca, т.е. без паузы между частями, а как только скерцо заканчивалось.

— Оркестр должен закричать здесь, как раненый слон, — говорил он. И тут же показывал, как это нужно сделать.

Что творилось в Большом зале, описать трудно. Море цветов и сплошные слезы: Слава, на кого ты нас покидаешь? Зал буквально сходил с ума.

Когда закончилась симфония, Ростропович стал медленно-медленно поднимать левую руку, по-моему, он плакал, когда дирижировал. И когда рука вверх поднялась, стало ясно, что он куда-то показывает указательным пальцем. И мы все, сто человек студентов, смотрим, а там портрет Петра Ильича Чайковского. И Ростропович сказал:

— Все-таки гениален был наш Ильич, я имею в виду Петра Ильича.

Тогда все это казалось такой антисоветчиной! Ощущение было, что за нами следят, за всеми, кто был с ним в хороших отношениях. Было абсолютно ясно, что означал отъезд Ростроповича политически. И тем не менее каждый из нас купил цветы и держал их за спиной. Потом, уже после концерта, вся его семья села в машину, и впечатление было такое, что народ просто понес ее через двор консерватории.

Ночью я звонил ему вместе с моим приятелем, его учеником. Он поднял трубку, и мы что-то там из телефонной будки, озираясь, говорили. Слов не помню, но, видимо, в них было столько тоски, что Ростропович стал нас утешать:

— Старички, вы не волнуйтесь, старички, мы обязательно еще увидимся, еще будем играть вместе!

И все. Он вернулся через двенадцать лет. А года за два до его возвращения я должен был давать концерт с моим оркестром «Солисты Москвы» в одном французском городке, в Эльзасе, и с нами согласился выступить Ростропович.

Это не я его приглашал — организаторы концерта хотели, чтобы он был солистом. Он согласился и дал феерическое интервью, в котором сказал, что будет выступать со своим старым другом, со мной, и это для него первая ступень к возвращению на родину.

Я, правда, чуть инфаркт там не получил, поскольку у меня в программе был виолончельный концерт Гайдна плюс наша программа, а Ростропович, как выяснилось, собирался играть два совершенно других произведения — концерт Шостаковича и «Вариации на тему рококо» Чайковского. Я к тому времени еще не дирижировал симфоническим оркестром и признался в этом. И он сказал:

— Заметь, старик, я очень счастлив, что впервые ты это будешь делать со мной.

Мы потрясающе репетировали, а потом мой администратор, директор оркестра Игорь Чистяков, спрятавшись за колонной, записывал этот концерт на мою камеру (по тем временам большую «Sony» можно было считать вполне профессиональной аппаратурой, стереозвук и так далее).

Когда мы уже начали, Ростропович вдруг остановился, посмотрел в конец зала и сказал:

— Уберите камеру! Уберите камеру!

Но Игорь был парнем сообразительным, он просто достал платок и накрыл им красный глазок камеры, сказав, что выключил.

А потом уж так судьба распорядилась, что я стал часто бывать в доме Ростроповича в Париже и как-то показал запись альтового концерта Альфреда Шнитке, которой очень гордился и поэтому всегда возил с собой, так... на всякий случай. Я и сейчас им горжусь. Слава растрогался и сказал, что очень хотел бы тоже иметь концерт Шнитке для виолончели. Я ему говорю:

— А ты напиши письмо, завтра я улетаю в Москву и передам Альфреду, и на словах все скажу.

Он написал. Я передал письмо Альфреду, и очень быстро появился Второй виолончельный концерт, написанный для Ростроповича, а затем и опера «Жизнь с идиотом», и их сотрудничество стало тесным.

А затем перед Альфредом, незадолго до его смерти, возникла проблема. Дело в том, что он обещал написать сонату для альта и сам напоминал мне об этом, но в то же время от него ожидали новых вещей и Гидон, и Ростропович. В общем, все чего-то ждали. Затем появилась идея двух двойных концертов: Гидон хотел, чтобы появился концерт для скрипки и альта, а Ростропович — для альта и виолончели. Получалось, что Альфреду надо сочинять два произведения. Меня радовало то, что ни в первом, ни во втором случае я не был забыт.

Когда позвонила Ирочка Шнитке с известием, что он начал писать, я попросил:

— Ирочка, ты один вопрос ему сейчас задай. — Он тогда уже не мог говорить и общался только жестами. — Спроси его, пожалуйста, партия альта сверху или снизу?

Если она снизу, значит, это для скрипки и альта, если сверху, значит, для альта и виолончели.

Она говорит:

— Он как-то уклончиво отвечает!

А у него уже возникла идея тройного концерта, посвященного всем нам одновременно — Кремеру, Башмету и Ростроповичу, — то есть всем тем, кто наиболее часто исполнял его произведения.

Премьера состоялась в Москве. В каждой части солировал один из инструментов, а затем маленький финал, в котором мы все участвуем одновременно. И был еще специально написанный на бис Менуэт для трех струнных инструментов. Крохотное сочинение, где каждый голос — мелодический шедевр. А вся миниатюра производит страшное впечатление: какой-то апологетический танец смерти, как и «Реквием», написанный двумя десятилетиями раньше на смерть матери.

Премьера действительно прозвучала как прощание.

Но, чтобы не заканчивать на грустной ноте мой рассказ о жизнелюбивом человеке Славе Ростроповиче, расскажу вам еще одну анекдотическую историю.

Слава гастролировал по Англии. Приехал он в один город. Его встретили и сказали:

— Мы очень рады, маэстро, что вы к нам приехали, и особенно рад и счастлив новый музыкальный директор нашего фестиваля. А он потрясающе разбирается в музыке.

Ростроповича проводили в автомобиль, и шофер в белых перчатках по дороге снова выдал примерно тот же текст, что вот мы невероятно счастливы, весь город счастлив, фестиваль счастлив и особенно наш новый музыкальный директор, который лучше всех на земном шаре знает музыку.

Когда Слава оформлялся в отеле, ему то же самое сказал портье, что вот мы счастливы, особенно наш новый музыкальный директор. Вошел он в номер, там стояла корзина с фруктами и лежала записка, в которой был приблизительно тот же текст.

Тут приехала и Галина Вишневская — он аккомпанировал Гале. Когда он репетировал, к нему подошли и спросили:

— Вам нужен помощник, чтобы страницы переворачивать?

— Да, я думаю, ваш новый музыкальный директор будет счастлив, он с удовольствием это сделает!

И вот — концерт: Галя поет, Слава аккомпанирует, и этот человек сидит слева у рояля, переворачивает Славе ноты. Потом Слава рассказывал мне:

— Старик, были романсы Рахманинова, а я поставил ноты «Романсов Чайковского». Тут соль минор, а я в ля мажоре. Ты представляешь, что для музыканта значит, когда он видит одно, а слышит совсем другое!

Дело в том, что Слава аккомпанировал наизусть и в ноты совсем не смотрел, только делал вид, что смотрит.

— Чувствую, старик, клиент потеет. Старик, Галька поет, я аккомпанирую, а он потеет! Я ему показываю — вот сейчас надо переворачивать, а тот мокрый весь, в предынфарктном состоянии встает, переворачивает. И так несколько раз. В конце концов мне уж так смешно стало, я ему показываю вернуться в другую сторону, есть такой специальный знак — двойная черта с двумя точечками, но там и этой черты нет. Короче говоря, абсолютный анекдот.

Я иногда слышу, что Ростропович не дорос в дирижерском мастерстве до самого себя — до Ростроповича-виолончелиста. То есть виолончелист он все-таки величайший, а вот дирижер, может, и замечательный, но не такого уровня, как виолончелист. А я думаю, что слава его дирижерская — вопрос недалекого будущего. Я говорю это совершенно сознательно, поскольку мне удалось прослушать многое из того, что он записал. Ну, и живьем я его часто слышал в качестве дирижера, и играл с ним, и играю с удовольствием. Дело в том, что в каждом произведении он совершает эпохальное открытие — уровня Фуртвенглера, Бруно Вальтера и так далее. В каждом! Будь то исполнение на виолончели или дирижирование симфоническим оркестром. Вот и все. Просто мы привыкли воспринимать Ростроповича как виолончелиста, привыкли слышать со сцены его звук, который не спутаешь ни с чем, привыкли видеть играющим на инструменте. Если бы Ростропович в свое время, лет двадцать назад, уже будучи богом виолончели, вдруг прекратил играть и стал бы только дирижером, может, сегодня и не было бы таких разговоров, не знаю. Но это тоже было бы очень обидно.

Я однажды спросил у Рихтера:

— А почему вы не дирижируете?

Он ответил:

— Юра, я и так еще не все сыграл, что для рояля написано. Хотя, правда, у меня большой репертуар. Но если бы я начал дирижировать, у меня не было бы такого репертуара, у меня не было бы для этого времени.

...Я снова далеко убежал от своей линии жизни. Надо бы вернуться ко второй половине 70-х годов, к тому периоду, когда я, двадцатипятилетний, едва утвердивший себя альтист, решил доказать, что альт —

инструмент сольный, способный собирать залы и доставлять удовольствие публике не хуже скрипки или фортепиано.

ЗА ЛЮБОВЬ НАДО ПЛАТИТЬ

Первый в истории Франции настоящий платный сольный концерт альтиста состоялся в Париже. Конечно, это был риск. И не столько мой, сколько моего импресарио Ролло Ковака. Он когда-то сам был хорошим скрипачом, стажировался у Давида Федоровича Ойстраха. Словом, понимал, о чем идет речь, и рискнул. Ролло был директором Музыкальной академии в Туре, где преподавали профессора Московской консерватории. Туда же съезжались и студенты, и парижские профессора. Ну и меломаны, естественно. Однажды появилась экстравагантная богатая женщина. Ей понравилось, как я играю, и Ролло сумел ее раззадорить — за любовь, дескать, надо платить. «А я и заплачу», — ответила она. В общем, он поймал ее на слове: она заплатила в Госконцерт пять тысяч долларов — по тем временам невероятную сумму. Только за один концерт. И я был приглашен на свой первый в жизни сольный концерт.

А дальше надо было подтверждать свое имя. Завоевывать новые аудитории, новые города и страны. Везде это было впервые — сольные концерты на альте, которые раньше считались невозможными в принципе. Забытый оркестровый инструмент — и вдруг соло на большой сцене. В большом зале. Перед тысячами людей...

Вторым на милость победителя сдался Амстердам, зал Концертгебау. Затем Вена — один из самых знаменитых в Европе залов Мюзикферайн. Потом Япония, Сантори-холл в Токио. И это лишь малая доля премьер. Страна за страной. Дольше всех, около пяти лет, держался Большой зал консерватории в Москве. И Карнеги-холл в Нью-Йорке.

За рубежом оказалось проще пробиться, чем в родной стране. Почему? Трудно сказать. Может, потому, что я зарабатывал валюту, которую честно сдавал в казну. Вспоминаю свое первое турне по Германии. Мне платили по самой низкой европейской ставке — две тысячи дойчмарок за выступление. Из каждого гонорара позволяли оставить 154 марки, что казалось мне тогда невероятной сумой. Я даже умудрился привезти подарки всем родным и знакомым. А Давиду Ойстраху из каждых пяти тысяч оставляли двести. Хорош куш, правда?

Но даже такие «большие» гонорары не радовали. Ну, стал я первым в истории Франции альтистом, сыгравшим сольные концерты в Париже. Мне, по большому счету, ни холодно, ни жарко. Я ж не француз! И не американец. Поэтому концерт в Карнеги-холл важен для меня, но и только. Главные мои зрители — здесь. И именно в Большом зале, а не в Малом. Там принципиально разная публика. В Малый зал и в Рахманиновский зал ходят больше профессионалы и просвещенные, знающие любители музыки. Большой зал рассчитан на широкую аудиторию, и для утверждения инструмента надо было, конечно, сыграть именно там.

Добивался этого я долго, более двух лет. Обивал пороги в Московской филармонии и в министерстве. Пробить бюрократическую машину никак не удавалось. Например, я долго прорывался к художественному руководителю Концертного объединения

Московской филармонии. Наконец попал. Она меня выслушала и говорит:

— Ну как же, это же никто не поймет, у нас же есть заслуженные артисты-альтисты, которые не играют в Большом зале. Они обидятся, если мы дадим зал вам. Как? На каком основании? Вы же не заслуженный.

Я ей отвечаю:

— Так пусть и они тоже играют! И потом, я, конечно, не заслуженный, но я лауреат международных конкурсов.

— Они тоже лауреаты международных конкурсов.

— Но они же не солируют.

— Вы о ком конкретно? — заинтересованно так спрашивает она. — Ведь один артист работает в квартете, другой — в симфоническом оркестре.

— А я работаю солистом, — вставляю я. — И считаю, что пришло время инструменту выйти на большую сцену.

— Нет, к сожалению, у меня нет оснований.

И вот так два с лишним года я занимался этой проблемой. Она решилась естественным путем. Никакого указания сверху никто так и не дал. Просто всем стало ясно, что пора. Я, видимо, раньше времени стал этого добиваться.

На сцене Большого зала я уже много раз выступал и с симфоническим оркестром, и в камерных ансамблях, и с Квартетом им. Бородина. Играл тогда очень много с Виктором Третьяковым. Исполнял с Владимиром Спиваковым Концертную симфонию для скрипки и альта Моцарта и так далее. То есть сцену уже хорошо знал. Но теперь речь шла о сольном концерте. Нужно было выйти с пианистом и сыграть целую программу.

Долго думал, что сыграть, чем удивить и надо ли вообще удивлять. Я понимал, что это исторический момент для меня, и в конце концов отказался от всех вспомогательных «рычагов» — приглашения известных музыкантов, эффектной сонаты Паганини — и дал монографическую программу из произведений Брамса. Весь вечер — Брамс. Решил: что будет, то будет. Очень боялся, что публика не придет. Когда шел от артистической на сцену, столкнулся с директором зала и спросил:

— Как там, в зале?

— Все в порядке, все хорошо, иди!

Я вышел, и первое, что сделал, посмотрел на галерку — свободных мест не было. Абсолютная победа!

Альт вышел на сольную сцену. А дальше что? Какой будет следующая сольная программа? И вот тут уже было нелегко. Второй раз все в жизни труднее, потому что уже присутствует фактор «взятого веса», который нужно подтверждать и которому необходимо соответствовать.

Вообще хорошую программу придумать не просто. Эту я сочинял с моим покойным другом Олегом Каганом у него на кухне, за кофе, и он мне очень помог. Возникла идея пригласить еще какого-нибудь исполнителя, хотя бы для одного номера. К программе очень хорошо подходила «Пассакалия» Генделя для скрипки и альта. Поскольку я уже говорил предварительно с Витей Третьяковым, то неудобно было предложить это и Олегу, с которым я тоже много играл вместе. В конце концов честно сказал Олегу о нашем договоре с Витей.

— Замечательно, прекрасно! — Он радовался совершенно искренне, и у меня словно камень с плеч свалился. Витя ведь тоже согласился не раздумывая.

Любимый скрипач Москвы, давно собирающий Большой зал, — и я приглашаю его на один номер в свою сольную программу.

Когда мы сыграли, был шквал аплодисментов, кричали «браво». Нас так потрясающе приняли, что он говорит:

— Слушай, давай еще раз сыграем, а то я вообще ничего не понял. Всего семь или десять минут идет номер!

А у меня сил никаких. Я-то уже весь сольный концерт отыграл. Но в знак признательности за то, что он сделал, решился. Мы вышли и еще раз сыграли «Пассакалию».

Должен сказать, это интересный момент, когда один музыкант приглашает другого для небольшого участия в свой сольный концерт. Было обсуждение другой программы, в которую я пригласил Владимира Спивакова. Тоже скрипач будь здоров! Всегда собирает Большой зал. Все равно дал согласие. По техническим причинам этот концерт не состоялся. Но Спиваков-то согласился! А вот мой учитель Дружинин, когда я его пригласил вместе дуэты исполнять, сказал:

— Дружочек, это ты можешь играть в моем концерте, а я в твоем — не могу.

Сложные у нас с ним отношения...

Не могу сказать, что он меня зажимал. Этого не было. Но когда моя карьера пошла в гору, это ему было трудно пережить. Должен сказать, что в моей жизни есть правило — никогда не нападать первым. И это касалось не только Дружинина. Иногда, думая, что защищаю себя и свой путь, я отвечал излишне резко, о чем глубоко сожалею сегодня. Даже если в чем-то и был прав тогда по ситуации. Только спустя годы, когда я столкнулся с предательством нескольких своих учеников, лишь тогда осознал, насколько сложны и ответственны для обеих сторон отношения учителя и ученика и какое надо было иметь терпение..

АЛЬТ НЕЛЬЗЯ МУЧИТЬ, ЭТО ЖИВОЕ СУЩЕСТВО

Есть такой анекдот: «Как появился альт? Пьяный скрипичный мастер натянул струны на футляр».

Смешно. Действительно, альт больше скрипки по размерам. Он крупнее, массивнее, но... Он ведь старше скрипки, древнее. По-итальянски альт называется «виолой», а скрипка — «виолино», то есть «маленькая виола». Можно сказать, что скрипка — усовершенствованный потомок альта.

Альт гораздо глуше скрипки, звучание его направлено как бы внутрь себя, слабее резонирует, даже гнусавит. Но зато его звук — теплее, объемнее, а в смысле виртуозности альт почти так же совершенен, как скрипка. Из-за большой длины грифа альт заметно менее подвижен, и от исполнителя требуется соответствующая растяжка пальцев и часто недюжинная физическая сила и ловкость.

Представьте себе: вот рука нормального человека; если он ее поднимает, происходит отлив крови. Но потом эту руку нужно развернуть локтем перед собой, а потом еще и отдельно кисть. И при этом все время нужно работать («шагать») пальчиками. Ощущение похоже на то, когда берут кровь из вены, — перевязывают руку выше локтя и просят сжимать и разжимать кулак, чтобы вены вздулись. А если играть форте в конце смычка и, значит, особым способом распределить вес руки — происходит отдача в позвоночник. Отсюда и неприятности — миозиты, искривления позвоночника и так далее. Я уже не говорю о таких вещах, как трудовая мозоль на шее в том месте, где инструмент соприкасается с кожей. У кого-то она больше, у кого меньше, иногда ее даже удаляют.

Никто на самом деле не знает, что такое альт. Его невозможно подогнать под какое-то точное определение. Действительно, что это такое? Разные альты настолько отличаются по тону, что просто-таки не верится, что они сконструированы по одному образцу. Стоит закрыть глаза — и вы услышите звучание: иногда скрипки, иногда виолончели, но каждый раз все равно чуть-чуть иное. Альт — совершенно мистический, очень таинственный инструмент. Но если преодолеть все его сложности и заключить с ним «союзный договор», то с альтом происходит метаморфоза, как с Золушкой. Он становится инструментом-аристократом!

Как-то мы с нашим знаменитым мастером смычковых инструментов Анатолием Семеновичем Кочергиным искали положение дужки (это такая маленькая палочка, соединяющая деки) внутри моего альта, чтобы он лучше звучал. А он увидел, что я сам двигал дужку до этого, что все наперекосяк, рассердился и говорит: «Если ты сам будешь что-то трогать, больше не ходи ко мне! Альт — это живое существо. Он реагирует на погоду, на сырость, на сухость, на настроение того человека, который взял его в руки. Это дерево — живые клетки. Эти клетки там, в альте, перемещаются, выстраиваются в какие-то линии. Не смей мучить альт! Лучше занимайся больше». Вот так. Теперь ничего не трогаю. Сам мучаюсь...

Но вот забавная деталь. Как-то Гидон Кремер, который уже много лет жил на Западе, купил себе скрипку выдающегося мастера Гварнери дель Джезу. Это очень дорогой и хороший инструмент. И он успешно выступал на нем. А потом, через некоторое время, ему неожиданно подвернулся второй инструмент — Страдивари. Как-то после концерта, уже с этой скрипкой, он сказал мне замечательную фразу: «Какая разница. Через некоторое время она будет звучать так же, как Гварнери».

Я называю это «случаем Рихтера», когда для некоторых гениальных исполнителей не имеет особого значения, на каком инструменте они играют, потому что «работают» совершенно другие категории: тип художественного мышления, построение фразы... Иными словами, важна идея. А вот сам тембр звука появляется уже в гармонии со всем вышеперечисленным и вторичен по отношению к идее.

Но есть исполнители другого типа, для которых инструмент значит очень многое. Например, некто долгое время гастролировал с одним инструментом, потом появилась возможность приобрести лучший, но результат стал хуже, потому что они не подошли друг к другу. Да, да, именно так: инструмент не только подчиняется исполнителю, но и сам диктует ему свой стиль, свою манеру. Хороший инструмент обязательно имеет свое лицо, свою душу, свою историю, свою энергию.

ШКОЛА МУЗЫКАЛЬНОГО МЫШЛЕНИЯ

Недавно я прочел книгу Берлиоза, в которой великий композитор дает характеристики инструментам симфонического оркестра. Естественно, я сразу же нашел главу про альт. Берлиоз пишет, в каком ключе записываются ноты, про альтовый ключ, о том, что инструмент строится на квинту ниже, о том, как замечательно в различных произведениях композиторы использовали уникальный тембр альта. И далее следует рассказ о том, как не справляющиеся со скрипкой музыканты в оркестре пересаживались в альтовую группу. «Какая глупость, — пишет он, — ведь если они не могут справиться со скрипкой, каким же образом они сумеют справиться с альтом!»

То же говорится и о виолончелистах, которые становятся контрабасистами. Можно продолжить — неудачные контрабасисты становятся дирижерами... Шутка, конечно.

Мой учитель Вадим Васильевич Борисовский, как рассказывала Долли Александровна, его супруга, был замечательным скрипачом, играл в студенческом оркестре, по-моему, был концертмейстером всей струнной группы, то есть первой скрипкой. Потом увлекся альтом. Буквально влюбился в него и оставил скрипку. У него был феноменальный инструмент «Гаспаро де Сало» (сейчас он находится в Музее имени Глинки), он потрясающе звучал — ярко и чисто. До Борисовского альт был в консерватории вторым обязательным инструментом для скрипачей. На протяжении одного года скрипачи должны были пройти курс альта. То есть изучить альтовый ключ, освоить сам инструмент. Но с появлением Вадима Васильевича была образована кафедра альта и арфы, которую он и возглавил. Он преподавал в консерватории на протяжении многих лет. Практически все наиболее известные советские альтисты — а это концертмейстеры самых лучших оркестров Советского Союза — его ученики. Самый знаменитый ученик

Борисовского — Федор Серафимович Дружинин. Таким образом, я в одном лице являюсь и сыном Борисовского, так как начинал у него учиться, и в то же время его внуком, ибо впоследствии учился у Дружинина.

Что было замечательного в тот единственный год, когда я учился у Вадима Васильевича Борисовского? Прежде всего то, что он постоянно освежал альтовый репертуар, расширяя его. Я думаю, что на протяжении первого полугодия первого курса консерватории я выступил более семи раз с произведениями малой формы. И часто это было первое исполнение только что сделанных переложений. Таким образом, с одной стороны, увеличивался репертуар альтиста, а с другой — нужна была невероятная скорость в изучении нового. Это не означает, что вся Московская консерватория жила по таким принципам. Хотя на фортепианных кафедрах за скоростью тоже всегда следили — пианистов нагружали и нагружают и сегодня очень мощно. Это замечательно, потому что количество в конце концов переходит в качество. Я знаю по моей дочке, что это так.

Так вот, Вадим Васильевич сделал невероятное количество переложений для альта. Это и Шостакович, и Прокофьев, и другие классики — русские и европейские. Знаменитые его переложения — цикл пьес из музыки к балету Прокофьева «Ромео и Джульетта» и «Павана на смерть инфанты» Равеля. «Павана» была его первым переложением, которое он исполнил на государственном экзамене по окончании консерватории.

Он совершенно не терпел равнодушия, когда студент стоит и просто отыгрывает нотный материал. Не терпел. Мог даже подойти и сильно ударить по спине кулаком. А сам он был красавец, высокого роста, то, что мы называем «голубая кровь», и даже картавил как-то по-дворянски. Когда Вадим Васильевич появлялся перед экзаменом в коридоре, у нас душа уходила в пятки, потому что он следил не только за тем, как человек занимается и какие у него успехи, но и за тем, как студент говорит, двигается, что читает. Он требовал весьма обширных знаний. Допустим, студент выступил на экзамене, исполнил какое-то произведение и уже уходит, а он ему вдогонку: «Скажите, а когда жил этот композитор?» Он требовал, чтобы все его ученики были образованными людьми, и не только в музыке.

Федор Серафимович Дружинин, продолжая во многом традиции Борисовского, создал абсолютно свою школу, я бы сказал, школу музыкального мышления. Но и он тоже, как и Вадим Васильевич, был очень внимателен к тому, что называется культурой поведения и речи. Тогда очень много студентов было из различных республик Советского Союза. Скажем, я приехал из Львова, и у меня был говор, типичный для Западной Украины. А кто-то приехал из Азии и делал невероятные ошибки просто в произношении слов. Для Федора Серафимовича язык был частью культуры, как и одежда, и манеры, и профессиональное мастерство. Все это равные части единого целого. Я помню прослушивание к какому-то конкурсу. После меня играл один сильный альтист. Играл он не очень удачно, но не в этом дело. Когда он уходил, Федор Серафимович сделал ему замечание: «Когда будете в следующий раз играть, пожалуйста, надевайте галстук». А парень был в джинсах и какой-то свободной рубашке. Я-то как раз отношусь ко всему этому очень легко, но на экзамен, я абсолютно убежден, студент должен прийти подтянутым. Это его же настраивает на самую высокую ноту.

«ТВОЙ ИТАЛЬЯШКА ТЕБЯ ЖДЕТ...»

Уже многие годы я играю смычком, когда-то привезенным мне еще из ГДР, из города Дрездена. Смычок был куплен в музыкальном магазине и стоил двенадцать восточных немецких марок. Конечно, я встречал смычки и получше, у меня самого есть и лучше, и дороже, но играть продолжаю все-таки этим старым смычком. Он весь уже поломанный, но я так к нему привык! Он для меня как живой.

Я уже говорил, что инструмент должен не просто *подходить* исполнителю, его характер должен соответствовать *характеру* исполнителя — и наоборот. Мой альт, например, очень ревнив. Для поездок я купил двойной футляр, и альт привык к тому, что рядом с ним может лежать еще и скрипка, но, если я играю на скрипке (а делаю я это очень редко), он действительно обижается. Я знаю, в чем это проявляется. Он начинает немножко шипеть — дескать, нет в нем силы. В общем, противный становится.

Если я неважно себя чувствую, устал, не выспался, я достаю альт, позанимаюсь — и мне лучше. Мой альт доставляет мне радость, он отзывчив. Если я ищу звук, который мне хочется услышать, я его тут же получаю. Альт меня очень хорошо понимает. Знаменитый, ныне живущий в Париже скрипичный мастер Этьен Ватло сказал: «Конечно, есть лучше альты на земном шаре. Но нет лучшего альянса между инструментом и исполнителем, чем у тебя с твоим альтом. Вы невероятно друг другу подходите. Никогда ни на что его не меняй». Я вполне серьезно отношусь к этим словам, потому что мне приходилось играть и на абсолютно фантастическом инструменте работы мастера Страдивари.

Был концерт памяти погибшей принцессы Дианы в Лондоне. Играть на этом альте было очень сложно. Я потом болел дней десять — у меня болели руки, плечо. Но если удавалось вынуть из него звук, то эффект был феноменальный.

После концерта ко мне подошла королева Англии Елизавета II со свитой и спросила:

— Скажите, как вам игралось? Вам понравился инструмент?

Поскольку мне выдали его из коллекции Королевской музыкальной академии музыки в Лондоне, я сказал:

— Да, это потрясающий инструмент, но мне было очень трудно.

— Почему?

— На нем давно никто не играл, он не разыгранный.

— А конкретнее вы можете объяснить мне, что именно, какие были проблемы?

Ну, я и говорю:

— Не знаю, как точно выразиться, но попытаюсь: получается так, как с молодой лошадью, которая никогда еще не была под седлом.

Королева рассмеялась. Ей это очень понравилось, свита продолжила свое движение, и женщина, шедшая последней, видимо, из королевской семьи, вдруг спрашивает:

— Простите, пожалуйста, скажите, вы долго готовились к встрече с королевой?

— Я готовился к исполнению Моцарта на альте знаменитого Страдивари, — сказал я.

— То есть вы не готовились к встрече с королевой?

— Нет.

— А вы знаете, единственное, что любит наша королева, — это лошади...

Вот такая история.

Как мой теперешний альт попал ко мне? До него у меня был простой фабричный альт фирмы Циммермана. Это был такой завод, который делал копии хороших итальянских инструментов. На моем альте было написано «Страдивари», но ничего похожего на настоящего Страдивари, конечно, не было и в помине. С ним я и поступил в Московскую консерваторию. Профессор Борисовский на уроке мне и говорит: «Тебе нужен хороший инструмент. Ищи». Но это не так просто — найти хороший инструмент, итальянский.

Я был тогда на первом курсе, 1971 год. И вдруг однажды мне снится сон — я играю на сцене в большом концертном зале на каком-то изумительном инструменте. Тогда у меня не было, конечно, никаких концертов и до конкурсов оставалось еще лет пять. Но сон такой почему-то снится. До сих пор помню необыкновенный тембр. И слышу, как две женщины, сидящие в зале, шепотом разговаривают. Одна другой говорит: «Какой замечательный инструмент, как звучит!» А та, вторая, утвердительно кивает.

Утром я проснулся в нашем консерваторском общежитии на Малой Грузинской и пошел завтракать в буфет, а там для меня у дежурной записка: «Срочно позвонить профессору Борисовскому». Я позвонил. Он и говорит: «Приезжай. Твой итальяшка тебя ждет».

Вот мистика! Мне приснился такой сон — и тут же сообщение.

Я приехал. Борисовский при мне долго играл на «моем» инструменте. Должен сказать, что это очень важный момент. Вадим Васильевич всю жизнь был сторонником больших альтов. А этот, в его понимании, конечно, маленький. Даже чуть меньше среднего размера. Колебания размеров корпуса у альтов очень большие: от тридцати восьми сантиметров до сорока семи. Но понравился ему этот инструмент, и он впервые задумался над тем, что, видимо, для мощного, сочного и красивого звучания не обязательно нужен большой размер.

Борисовский сказал мне, что он всячески поможет, поручится перед людьми, которые дадут в долг деньги на мое имя. Он считал, что это мой инструмент, что он мне очень подойдет, и не ошибся. Словом, в 1971 году я приобрел этот альт. Стоил он полторы тысячи рублей. По нынешним временам деньги совсем небольшие. Но тогда этой суммы ни у меня, ни у моих родителей не было.

Правда, у меня оставались деньги от моих гитарных приработков еще в юные годы. Мама не хотела, чтобы я работал, но я выглядел старше, носил усы и тайно играл на гитаре за деньги на танцах. И однажды, когда мама искала мне рубль на школьный завтрак, сердце мое не выдержало: в карманах было рублей триста-четыреста, заработанных на дискотеках. Я во всем признался. «Хорошо, только папе не говори», — сказала мама. В тот вечер я принес домой торт и шампанское. И вот теперь достал те школьные деньги, отложенные «на случай». Пятьсот рублей сразу же выделил дедушка. Представляете, «запорожец» тогда стоил тысячу шестьсот, «жигули» — пять. Остальную сумму папа одолжил у знакомых.

Папа приехал из Львова, привез деньги, и мы стали выплачивать долг. В течение года всю сумму надо было выплатить. Борисовскому еще пришлось отвоевывать альт для меня. Он у кого-то его отобрал, заявив, что на этом альте должен играть Юра. Так что я ему бесконечно благодарен.

Должен сказать, что сначала, когда я попробовал его на сцене Большого зала консерватории, в паузе репетиций Госоркестра, никакого чуда не произошло. Альт «не открылся». Звучать по-настоящему он начал где-то через год, но уж зато как! Сейчас он отвечает всем моим стремлениям и чаяниям.

«А ВЫ СКРИПОЧКУ СВОЮ НА КРЫШЕ ЗАБЫЛИ...»

С ним бывали разные истории. Одна из самых невероятных случилась в самом начале моей концертной деятельности.

Союзконцерт — была такая организация — организовал фотосъемку для буклета обо мне. Для этого нужно было поехать куда-то на Ленинский проспект в мастерскую фотографа. У меня был тогда «запорожец» — двухдверная машина с откидывающейся спинкой переднего сиденья. Я приехал, нашел адрес, пришел, мы провели съемку, и тут фотограф говорит: «А знаете, было бы здорово снять вас на фоне берез, на открытом воздухе. Здесь очень недалеко Солнцево, мы как раз там живем. Давайте подъедем, у вас есть машина?» Я отвечаю: «Да». Он обрадовался: «Вот и хорошо, подъедем к лесу и там сделаем эту съемку».

Мы садимся в машину, рядом его супруга оказалась, они тут же решили сполна использовать подвернувшееся транспортное средство и перевезти то, что давно уже нужно было доставить домой. Поэтому появился мешок картошки, какие-то сумки, какая-то аппаратура и двое пассажиров — фотограф с супругой.

Я никогда не оставлял инструмент в машине. А когда выезжал куда-то, клал его на заднее сиденье. Выглядело это так: спинка переднего сиденья отодвигалась, альт клался на заднее сиденье, спинка возвращалась на место, и я садился за руль. А тут из-за всей этой суеты произошло следующее: я положил альт на крышу автомобиля и занялся мешками, сумками и прочим. После чего спокойно сел за руль и поехал.

Выезжаю из арки на маленькую дорогу, вижу, что прохожие провожают меня недоуменными взглядами. Ощущение такое, будто стоишь на сцене и забыл застегнуть ширинку. Очень напоминает. Ну, думаю, ладно, смотрят — и пусть себе смотрят. Выехал на дорогу. То же самое: и что они такого увидели?! Выехал на шоссе. Было такое пыльное лето, очень теплый, солнечный день. Я, значит, с ветерком еду, вдруг слышу глухой звук — бум-бум, такие два удара. Что-то случилось... Смотрю на приборы автомобиля — вроде все в порядке там со стрелочками. Но звук какой-то странный. Я спрашиваю: «Вы ничего не слышали?» И тут супруга фотографа спокойно говорит: «А вы скрипочку свою на крыше забыли...»

У меня все внутри похолодело. Тут же затормозил, смотрю в заднее стекло и вижу: как ракета на воздушной подушке, несется по дороге мой альт. В футляре, естественно. Причем футляр тоненький такой, из картонки какой-то. Катастрофа! Я быстренько включил заднюю передачу скорости. Поехал было, но понял, что не получится — сильно виляю. Остановился, выскочил. Вижу, альт тоже остановился. Я бегу, но до него еще не близко. А там, вдалеке, открывается светофор, и лавина машин начинает свое движение. Думаю — все, не добегу! Впереди пара молодая. Парень увидел, что кто-то что-то потерял по дороге, вышел прямо на проезжую часть, поднял и... бросил на тротуар. И это все происходит на моих глазах. Чтобы сломать инструмент, которому больше двухсот лет, достаточно высоты в пять сантиметров. Резкий удар — и он может треснуть: дерево высушенное, старое. В общем, я добежал, взял футляр, сел в машину. Первым делом открыл его, взял альт за шейку — это обратная сторона грифа, осторожно так взял. Смотрю — не рассыпался. Дальше вообще невероятное. Когда мы приехали, оказалось, он даже не расстроился. Мало того: зазвучал очень свежо, по-новому, видимо, от этого падения встала иначе дужка, и это повлияло на звук.

Да, вот еще другая история. Накануне знаменитого концерта на инструментах Моцарта в Зальцбурге, с Олегом Каганом, я взял в руки альт Моцарта (состояние — слов нет, ведь это инструмент, на котором играл сам Моцарт!) и, естественно, сначала посмотрел верхнюю деку, затем нижнюю, голову, а потом глянул, что там написано внутри. И оказалось, что альт Моцарта — брат моего инструмента! Мастер Паоло Тестори из Милана. У меня 1758 год. А у него старше на три года. Невероятное совпадение! Так что, видимо, это планида моя — жить с Тестори. И я своему альту не изменяю, это бессмысленно, иначе он мне начнет изменять.

Мы с ним все прошли. Все конкурсы и концерты, которых уже немало сыграно, и все мировые премьеры, как, например, мой сольный концерт в «Ла Скала» в Милане или концерты в Мюзикферайн в Вене, в Большом зале Московской консерватории и в Ленинградской филармонии. Так что это настоящий творческий союз, и не только творческий, но и душевный, человеческий. Очень, очень важный союз. Уже пора отмечать юбилей — тридцать лет вместе. Это больше, чем серебряная свадьба, на пять лет.

А самому альту уже скоро 250 лет. Он приехал в Москву из Одессы. Кто на нем играл, как играл, где играл... Подлинную историю его узнать никак не удается, но есть несколько версий. По одной версии — это был трофейный инструмент, по другой — его привез в Одессу какой-то моряк, и он пятьдесят лет провалялся там где-то на шкафу. Люди, которые передали этот инструмент, уезжали в Израиль на постоянное место жительства. После чего альт попал к одному очень хорошему скрипачу, который работал в Государственном симфоническом оркестре, а он в свою очередь передал этот инструмент концертмейстеру группы альтов Госоркестра Михаилу Толпыго, ученику и ассистенту Борисовского, который и показал альт самому Вадиму Васильевичу...

Какие приключения испытал он в свой жизни, сам альт рассказать не может.

СТРАДИВАРИ ПОД КОДОВЫМ НАЗВАНИЕМ «АЛЕКСАНДР ВТОРОЙ»

Но интересна даже не история владельцев моего Тестори, а какая у него была душа до того, как я с ним встретился. Потому что, безусловно, есть какая-то очень мощная энергия в старых вещах, тем более предметах искусства. Это и с живописью — с картинами и с иконами — происходит, ну и, конечно, со старыми инструментами. Бывает, что музыкант покупает выдающийся инструмент, потом начинает болеть и даже умирает. Мистика. Так было с Семеном Снитковским, так произошло, к сожалению, с Олегом Каганом. За два года до смерти он приобрел потрясающую скрипку, даже успел немножко поиграть на ней... Всякое бывает. Пока еще ученые не научились читать мысли, но кто-то говорил, что такая техника вскоре появится. Она сможет расшифровывать, переводить в видеоряд энергию разной материи, например дерева или камня.

Это уже не мистика. Это научная фантастика. А есть еще и исторический детектив. И все про инструменты — альты и скрипки.

Вот, к примеру, наша знаменитая и замечательная государственная коллекция. Создавалась и пополнялась она после Великой Октябрьской социалистической революции ровно так же, как и многие художественные музеи. Специалисты от товарища Луначарского попросту реквизировали, отбирали у буржуев и врагов советской власти среди прочих ценностей и старинные инструменты.

В Госколлекции есть несколько инструментов, подаренных когда-то царю. Например, замечательный Страдивари, который называется Юсуповским. А вот скрипка, на которой я иногда играю, это Страдивари под кодовым названием «Александр Второй». Как-то во Франции после концерта ко мне подошла пожилая пара, и мужчина сказал: «Я специально зашел к вам в артистическую, потому что хочу вам кое-что показать. Мой прапрапрадед был знаменитым ювелирным мастером и когда-то по заказу русского царя для его скрипки Страдивари изготовил вот эти два предмета». И он показал мне потрясающую работу: сурдина — золото с инкрустацией очень тонкой работы — и коробочка для канифоли — точно такой же почерк, видно, что сделаны одновременно.

Когда я надел эту сурдину на скрипку русского царя Александра, мы поняли, что это и есть та самая скрипка. Старик прослезился. Невероятно! Мы оказались свидетелями встречи предметов через много-много лет! Старик ничего больше мне не сказал — расплакался, повернулся и ушел. А сурдина и коробочка для канифоли остались у меня в руках. Я его окликнул, догнал и вернул ему эту пару...

БОЛЬШЕ НИКОГДА Я ТАК НЕ ИГРАЛ

Было замечательное время. Лето. Мы снимали дачу на Николиной Горе. Перед выездом на гастроли во Францию, в город Тур, я неожиданно сильно заболел. Такая сыпь и температура, что испугался и ночью решил ехать в дежурную больницу.

Врач, осмотрев меня, спросил — больно или не больно. Все мое лицо было воспалено — сплошная опухоль. Он подумал, что это заражение крови, и уже стал меня жалеть. Я испугался еще больше. Хорошо еще, не знал, что означает слово «сепсис». Однако через несколько минут врач понял, что диагноз неверен, и прописал мне какие-то таблетки. Я лечился, но, честно говоря, мысли у меня были нерадостные — думал, конечно, что Франции мне не видать. Однако в ночь перед выездом мне стало лучше, наверно от этих таблеток, и я полетел, взяв у жены овальный гребень, чтобы держал волосы, — прикосновение даже одного волоска ко лбу было мучительно. Кроме того, весь лоб был еще и в зеленке.

Я вошел в самолет (в этот момент, видимо, забыл, как выгляжу) и хотел сесть на свое место. Двух девушек, у которых места были рядом со мной, как ветром сдуло — убежали в другой ряд. Я улегся на три сиденья и заснул. Проснулся уже в Париже. Меня встретил менеджер, на мой внешний вид не прореагировал и повез меня в Тур, за 240 километров. Приехали. Он остановился у аптеки, купил какую-то мазь и вручил ее мне. Через два дня должен был состояться мой сольный концерт, а ведь я из-за болезни две недели не прикасался к инструменту, то есть вышел из формы.

Но от нового лекарства становилось все легче и легче. И в день концерта мы с Мишей Мунтяном пошли все-таки репетировать, хотя я не представлял себе, как возьму в руки инструмент после такого перерыва. Первое, что понял, — нет вибрации, ощущения струны, нет пластики, нет соединения смычка. Нет! Ничего нет! Ну, думаю, как же играть-то через два часа? Причем это очень ответственный концерт — в зале профессора Московской консерватории, да и студенты, которых я же учу...

Вибрация так и не появилась, и от безысходности мы с Мишей стали дурачиться, в четыре руки импровизируя нечто полуджазовое на рояле. Потом нас попросили выйти из зала, поскольку уже собиралась публика. Мы вышли. В артистической минут пятнадцать я, как сорвавшийся с цепи пес, насиловал инструмент и руки, пытался хоть как-то войти в форму. Короче, вышел на сцену с ощущением абсолютной авантюры.

Первое произведение — Соната Хиндемита. Сыграл начальную фразу, и надо же: руки не чувствуют, а результат хороший. К концу сонаты уже показалось, что все идет хорошо и это вообще одно из самых удачных моих исполнений этого сочинения. И зал очень хорошо принимает.

Следующее произведение — «Лакриме» Бриттена — я тоже, пожалуй, так до этого еще не играл. Потом антракт.

Дальше, во втором отделении, — Соната Шостаковича. Там есть одно место в финале, когда альт остается без рояля. И первая доля — как некая пауза перед взрывом. Рихтер когда-то говорил:

— Это будто огромная металлическая дверь. Грохот должен быть таким, будто она неожиданно с бешеной силой захлопнулась.

И вот, представляете себе, в этом месте действительно захлопнулась какая-то огромная дверь, видимо от сквозняка. Точно в этом месте. Бешеный грохот.

А все исполнение — интересная череда моих ощущений. Поскольку я всегда отказывался от уже наигранных и отработанных, проверенных опорных моментов и красок звучания, то и в этот раз все мною подвергалось сомнению. К примеру, почему, собственно, если в нотах написано «piano», я дслаю «crescendo»? Но я кожей чувствовал: так надо! Я ощущал себя в трех измерениях одновременно. Сам на сцене, сам в зале и сам себя вижу из зала. И — совершенно очевидно — сверху. И странная посторонняя мысль, как некий фон: только не упустить, только не потерять, только донести до конца это состояние!

Когда я закончил играть, в зале не было аплодисментов, полная тишина. Возникла даже некоторая неловкость. Я повернулся к Мише, а он тихо так говорит:

— Юрик, так сказать, вот, так сказать, ты еще никогда так не играл!

Я и сам был в невероятном возбуждении и лишь проговорил:

— Что ж, Миша, по-моему, получилось. Пойдем в тишине.

Я уже рассказывал, как на заднике сцены мне привиделось лицо Шостаковича.

Мы вышли со сцены в полной тишине и поднялись в артистическую комнату. Там всегда были соки, вода, алкогольные напитки, бутерброды. Первое мое желание было выпить стакан чего-то крепкого. Я налил себе коньяку, а Миша еще спрашивает:

— Бисы будем играть?

— Нет, сегодня мы уже точно ничего играть не будем! — И махнул стакан коньяка.

Довольно долго ничего не происходило. По моему тогдашнему ощущению, это были не секунды, а много минут. И тут появился менеджер:

— Почему вы не идете кланяться, там народ беснуется.

Мы вышли. Зал стоял и скандировал. Я рассказал Мише про свое видение, про Шостаковича. И удивительный факт — он подтвердил в растерянности, что тоже его видел. Но позже вспоминать об этом случае наотрез отказался.

Потом мы множество раз выходили на поклоны, но играть больше не стали. Пришли коллеги поздравлять нас. Двое плакали. Один из них — Валентин Александрович Берлинский, а другой — покойный теперь, к сожалению, Борис Гутников. Боря сказал мне такую фразу:

— Юрочка, мы всю жизнь идем к нашему концерту. Ты его сегодня сыграл.

Через год он скончался. Замечательный музыкант был, великий скрипач.

Что интересно, я абсолютно точно помнил все исполнение сонаты, что, как и в каком месте происходило, и потом довольно долго пользовался этой тропинкой. Должен сказать, что это работало. Но никогда уже не было того градуса исполнения. Если, скажем, взять тот самый случай за 100 градусов, то дальше было 95, 93... хотя и все равно выше, чем раньше. А потом эта тропинка заросла. То есть что-то, конечно, осталось, но вот использовать эту структуру дальше было невозможно.

После того концерта в артистическую зашла одна студентка-скрипачка из Академии, она была на концерте со своим молодым человеком, каким-то известным французским экстрасенсом. С ним мы знакомы не были, он просто стоял рядом, а она передала его слова:

— Если ты дружишь с этим человеком, то, пожалуйста, передай: если он знает, как выходить из этого состояния, то может и дальше этим заниматься. Но если нет, то для него это очень опасно.

Больше никогда я так не играл.

Есть ли этому какое-либо объяснение? Пожалуй, нет, одни фантазии.

Имеет ли мистическое значение тот факт, что композиторы именно к концу жизни часто особое внимание уделяют альту? Далеко ходить не надо. Та же Соната Шостаковича — последнее произведение. Концерт Белы Бартока — последнее произведение. Видимо, завораживает само звучание альта. Все-таки это философский инструмент — его звук разнообразный и глубокий.

Я как-то встретился у консерватории с Родионом Щедриным и говорю ему:

— Наверное, Рудик, вы не пишете для меня, потому что знаете: если сочинить для альта, то это будет вашим последним произведением. Правильно делаете.

Он ответил:

— Я не боюсь.

И действительно написал. И чувствует себя хорошо, дай Бог ему здоровья.

СВЯТОСЛАВ РИХТЕР
— ЭТО ОГРОМНАЯ КНИГА В МОЕЙ ЖИЗНИ

Первый раз я увидел Рихтера в городе Львове со спины. Это был его сольный концерт. Благодаря моему другу, сыну профессора Львовской консерватории, я получил пропуск, иначе попасть на концерт было невозможно. Из-за нехватки мест в зале стулья поставили на сцене, и я оказался за спиной Рихтера в первом ряду. Меня поразила его очень подвижная правая нога, которая постоянно ерзала по полу, и невероятная смелость броска на клавиатуру. В общем, запомнились какие-то внешние стороны и, конечно, всеобщее восхищение, ажиотаж вокруг приезда великого пианиста.

Я — тогда еще школьник — мало понимал, как играл Рихтер, что это за явление, но оказался как бы втянутым в эту атмосферу, в сам процесс. А потом, через много лет вспомнил и говорил с Рихтером об этом концерте, рассказывал свои совершенно немузыкальные впечатления.

Прошло много лет, я поступил в Московскую консерваторию. И тут — афиши по всему городу, гул в консерватории: концерт Рихтера. Событие!

Билеты, конечно же, не достать, и мы, студенты, сбивались в клин и, ощущая себя прямо-таки мятежниками, прорывались мимо старушек-билетерш.

А потом был создан студенческий ансамбль, который исполнял очень редкий репертуар, и мы гастролировали с Рихтером.

Я, аспирант Московской консерватории, был приглашен в ансамбль для исполнения «Камерной музыки №2» для рояля с духовыми и четырьмя струнными Пауля Хиндемита. Второе отделение включало Концерт для скрипки и фортепиано с оркестром Альбана Берга с участием скрипача Олега Кагана. Наблюдая за игрой Рихтера с Каганом, я понимал, что для Рихтера возрастного барьера не существует. У меня закралась мысль, что вдруг... если Святослав Теофилович задумает сыграть что-нибудь с альтом... то, может быть... Но, конечно, сам я никогда ничего не осмелился бы предложить. Такое только во сне могло привидеться.

Однажды во время репетиции Концерта Баха со студенческим оркестром (дирижировал Юрий Николаевский, а мы все — Олег, Наташа Гутман и я — укрепляли каждый свою группу оркестра) Рихтер резко встал из-за рояля, проходя мимо меня, вдруг остановился и, отведя в сторону, спросил:

— Юра, как вы отнесетесь к тому, чтобы сыграть Сонату Шостаковича?

Я словно язык проглотил, ответить ничего не могу.

Он повторяет:

— Юра, а если нам с вами Шостаковича Сонату сыграть — как вы?

Тут уж меня прорвало. Я было начал, что это моя мечта, но сразу понесло куда-то в сторону: мол, кроме Шостаковича, есть еще Шуберт, сонаты Брамса. Зная, что он любит Хиндемита и как раз в то время был им увлечен, я добавил:

— И у Хиндемита много сонат, он ведь был альтистом.

— Да-да, я знаю, но это вопрос будущего, а сейчас именно Шостакович. Как вы к нему относитесь?

— Как я могу к нему относиться!

Тут Святослав Теофилович задал мне вопрос, который очень точно его характеризует:

— А как ваш постоянный пианист Мунтян, он не обидится? Вы ведь с ним ее играли?

Действительно, с Михаилом Мунтяном мы играли уже восемь лет, в том числе года полтора-два Сонату Шостаковича, это блестящий партнер и мой близкий друг, я работаю только с ним. Я был уверен, что он поймет меня, — и не ошибся.

Есть любопытный факт, связанный с этой сонатой Шостаковича. Она была посвящена великим композитором моему учителю Федору Дружинину. Так вот, когда я готовился к конкурсу в Будапеште, Дружинин приехал во Львов для того, чтобы со мной позаниматься. Дал мне несколько замечательных уроков. Мы работали у нас дома, и мама изощрялась в кулинарии. А он гурман! В общем, все было прекрасно. После уроков со мной он уходил сам заниматься в гостиницу. У Федора Серафимовича были с собой ноты альтовой сонаты Шостаковича, — он только что получил ее, разбирал, начинал учить и был, конечно, абсолютно поглощен этим произведением.

Позже я прочитал в одном его интервью, что он говорил Шостаковичу:

— Мне нужно уехать из Москвы позаниматься с моим студентом, который готовится на конкурс.

И Шостакович ему отвечает:

— Конечно, поезжайте, если будут какие-то вопросы, мы всегда можем созвониться.

Дальше, уже после Будапештского и Мюнхенского конкурсов, когда я составлял сольные программы, мне очень хотелось поставить в программу Сонату Шостаковича. Лакомый кусочек! Но я не сделал этого принципиально, из этических соображений. Для меня было совершенно очевидно, что человек, которому посвящено произведение (причем гениальное!), конечно же, должен первым его сыграть и записать пластинку. И только после этого формально можно считать, что произведение свободно. Но и после того, как это все произошло, я, ученик Дружинина, еще несколько лет по инерции не трогал сонату. Другие альтисты уже поигрывали ее, а я нет.

Должен сказать, что на премьере я не принял ее всей душой. Да, я ощутил глубину этого произведения, и местами оно понравилось, но в целом схватить его, прочувствовать не сумел. Но в любом случае — это же Шостакович, и, в конце концов, его музыка должна быть в моем репертуаре! Так через несколько лет и произошло. Сегодня эта соната одно из самых любимых моих произведений.

«ЮРОЧКА, ВОЗЬМИТЕ КЛАВИР СОНАТЫ ШОСТАКОВИЧА И ПРИЕЗЖАЙТЕ...»

Когда мы только начинали с Мунтяном учить Шостаковича, я не сразу стал играть сонату, долго «выдерживал». Казалось бы, при нехватке альтового репертуара сонату можно было бы исполнять часто, но она заставляет выкладываться на неделю вперед. Как-то в гастрольной поездке сыграл ее несколько раз подряд и понял, что теперь мы должны отдыхать друг от друга. А с того момента, как Рихтер предложил сотрудничество, я и вовсе перестал ее исполнять. Ждал, когда мы наконец встретимся. Если бы знал...

Выяснилось потом, что он-то ждал инициативы от меня! А я все думал — сам меня найдет и скажет: ну вот, завтра приходите с нотами... Очень обидно, что так пропало больше года.

Тут произошло трагическое событие — умер замечательный мастер, настройщик Георгий Богино (он часто настраивал рояль Рихтеру). У меня тогда только начинались концерты по линии филармонии, и вот мне позвонили оттуда и попросили исполнить что-нибудь скорбное на панихиде, которая проходила в фойе Большого зала консерватории.

Мы пришли с Михаилом Мунтяном, чтобы сыграть грустную, красивую пьесу чешского композитора Иржи Бенды «Граве». Когда я вошел в фойе, Рихтер доигрывал ля-минорную сонату Шуберта. Вы представляете себе, как это бывает: гроб, скорбящие люди, родственники, — в общем-то, не очень концертная ситуация.

Вслед за Рихтером мой выход. Я исполнил пьесу, и так как сразу уйти было невозможно, я встал за колонной, слушая других. Вдруг за спиной раздался голос Святослава Теофиловича: «Кто этот композитор, которого вы играли, не Бенда ли случайно? Тот самый, чешский? Мне очень понравилось». Меня это совершенно покорило. Я знал, что у него, кроме всего прочего, феноменальная, просто бешеная память и что он знает весь оперный репертуар, не говоря уже о кино, о литературе, но знать малоизвестного чешского композитора Бенду! Если бы я не играл эту пьесу, то и не догадывался бы о существовании такого автора. Вот тогда-то он и сказал: «Позвоните, пожалуйста, Нине Львовне вечером». Я позвонил. Нина Львовна мне сказала: «Юрочка, возьмите клавир сонаты Шостаковича и приезжайте. Святослав Теофилович хочет ее с вами играть».

Потом была первая репетиция.

Я уже был достаточно знаком со Святославом Теофиловичем, но очень волновался. До этого у меня никогда не дрожал смычок и не бывало, чтобы нервы передавались инструменту, но вот он открыл рояль, мы без особых словесных вступлений начали играть, и я услышал, что смычок у меня задрожал.

Я сознавал, что боюсь играть свободно, слишком большая ответственность — играть с самим Рихтером. Казалось, от этого ощущения трудно будет избавиться. Если думать все время: «Я играю с Рихтером, мой коллега — Рихтер», трех нот не взять как надо. Я боялся — вот сейчас остановится, передумает... В общем, в голову лезли самые дикие мысли.

Мы начали играть очень медленно. Сонату Шостаковича я уже к тому времени исполнял не раз и не сразу, мягко так, даже робко заметил, что он неправильно начал — слишком медленно. Святослав Тео-филович спросил:

— Вы ориентируетесь на метроном, указанный в нотах?

— Да.

— А знаете, что у Дмитрия Дмитриевича Шоста-ковича всю жизнь был испорчен метроном?

Вообще он принимал и даже любил темпы испол-нителей, очень любил, если это убедительно. И мы опять начали, и опять неудача, опять ничего не кле-ится. Я уже молчу. Тогда он вдруг снял очки и говорит:

— Юра, ну вы все-таки не молчите, подсказывай-те, я же никогда не играл это произведение, а вы — много раз.

Мелочь, казалось бы, но я думаю, он таким обра-зом решил меня слегка привести в чувство, приобод-рить. И через пять минут началась такая репетиция!.. Раньше я никогда бы не предположил, что смогу так с ним репетировать. Даже позволял себе останавли-ваться и просил:

— Святослав Теофилович, здесь, если можно, так-то и так-то...

Он очень внимательно выслушивал все мои по-желания и все время старался как будто встать рядом. Говорят, что дельфины, «разговаривающие» между собой с помощью ультразвука, в общении с челове-ком переходят на частоту его голоса. Может быть, неуместное сравнение, но нечто такое произошло.

Рихтер никогда не позволял себе халтурить. Не-вероятная какая-то честность. Я не имею в виду — ноты не те сыграть, а честное отношение к самому произведению: ведь должна отстояться концепция, должны быть исключены технические случайности. Исполнение выверялось до мельчайших деталей. Он еще говорил, что не просто учит ноты, а пробует варианты состояний и эмоций в каждой фразе. И так час за часом, год за годом... Он вышел на небывалый, высочайший профессиональный уровень и поддерживал его не только строжайшей профессиональной дисциплиной, но и в первую очередь тем, что вообще жил очень честно.

САМЫМ ЛУЧШИМ БЫЛО ДВЕНАДЦАТОЕ ИСПОЛНЕНИЕ

Никогда не забуду наше первое совместное выступление. Это был Малый зал Московской консерватории. Мы вышли на сцену, поклонились, и я почувствовал себя как на тарелочке, как будто меня приподняли. Я понял: сегодняшний концерт обязательно будет успешным, хотя не извлек еще ни одной ноты. Такого у меня больше никогда в жизни не было, только с ним и только в этот самый первый раз.

Один музыкант с сарказмом рассказывал, что как-то раз полный Большой зал Московской консерватории сидел и ждал начала концерта Рихтера, а того все нет и нет. Десять минут нет, пятнадцать, двадцать... Публика начинает волноваться, аплодировать. Наконец, Генрих Нейгауз, его любимый педагог, побежал к нему домой по Неждановой — а это в пяти шагах от консерватории, — поднялся и увидел Рихтера, расписывающего стены своей квартиры. Кстати, он рисовал замечательно, я видел его картины, они с таким настроением. Педагог к нему: «Славочка, там же тебя ждут!» И ответ был якобы такой: «Ну, пусть приходят завтра, я сегодня не могу играть».

Я никогда не спрашивал у Святослава Теофиловича, было ли такое на самом деле. Думаю, что какие-то нюансы перевраны, тем более это рассказ человека, не любящего и не знающего Рихтера, но могло быть и так. И я его очень хорошо понимаю. Для него правда и принципиальность в том и состояли: он знает, что сегодня не будет того концерта, той музыки, того контакта, которых от него ждут. Да, может быть, нетактично, неуважительно, как хотите, но — честно. Он сам себе говорит: я чувствую, надеюсь, что завтра это проснется, но сегодня этого нет.

Он не любил заштампованность, клише. Были годы, когда мы с ним много играли одну и ту же программу. И когда казалось, что сделали все возможное — хотя чем дальше, тем сложнее и тяжелее задачи, которые возникали и накапливались во время репетиций, — вдруг возникала идея прекратить гастролировать с этой программой. Понятно, что мы могли открыть еще много нового, но в то же время концерт ради концерта был уже неинтересен. Концерт как высшая творческая ступень — вот что волновало. Сцена давала возможность довести до максимума творческую температуру, а просто повторять достигнутое было скучно. В этом смысле Рихтер был самим воплощением творчества.

...Вспоминаются гастроли во Франции и фестиваль в Рок-д'Антероне. За два часа до выхода на сцену он мне сказал:

— Юра, вы знаете, я эту сонату Гайдна больше не хочу играть. Вы не можете послушать — я несколько сонат начну, сыграю, а вы послушайте, какую мне сейчас выучить.

— В каком смысле выучить? — не понял я. — Через два часа концерт!

— Ну, я же по нотам буду играть.

Моя мама Майя Зиновьевна

Дедушка Борис Абрамович

С папой и братом Женей (слева). 1971

Юный барабанщик Юра Башмет

Начало... Львов, 1966

«Голубой огонек»
у папы на работе.
Я аккомпанирую
Вале Стрельченко

В юности я носил усы и тайно от родителей играл на танцах

Московская консерватория. Первый «стихийный» студенческий квартет: И.Фигельсон (виолончель), Ю.Башмет (альт), А.Винницкий (скрипка), М.Вайман (скрипка)

Первые гастроли. С Литовским камерным оркестром.
Дирижер – Саулюс Сондецкис

«Солисты Москвы, opus 1»

Святослав Рихтер — это огромная книга в моей жизни

Малый зал консерватории. Первые выступления с Маэстро

«Декабрьские вечера» – любимое создание Святослава Рихтера

«Юра милый, дорогой.
Как бы я хотела быть сегодня
на Вашем концерте!
Успеха и удовлетворения
от исполнения
желаю Вам и Вашим
музыкантам от всего сердца.
У нас все так же – слабость,
сердечная недостаточность.
Вероятно 23-го отсюда уедем –
хотим в конце апреля
в Москву.
Обнимаю и целую
Нина Дорлиак»

Моя семья:
жена — Наташа,
дочь – Ксюша,
сын — Саша.
Я их очень люблю

Дуэт с Владимиром
Спиваковым...

...Виктором
Третьяковым...

...Гидоном
Кремером

Мстислав Ростропович –
бог виолончели
и невероятная личность

С Галиной Павловной Вишневской

«На троих» — так называется концерт Альфреда Шнитке,
посвященный Ростроповичу, Кремеру и мне

Олег Каган
и Наталия
Гутман.
Последний
снимок вместе

Ирина
Александровна
Антонова —
душа и муза
«Декабрьских
вечеров»

Валентин Александрович
Берлинский —
выдающийся виолончелист,
«вечный двигатель»
Квартета им. Бородина

Миша Мунтян —
замечательный
пианист
и мой друг.
Мы уже 25 лет
вместе на сцене
и в жизни

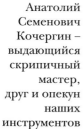

Анатолий
Семенович
Кочергин –
выдающийся
скрипичный
мастер,
друг и опекун
наших
инструментов

Он сыграл, и я говорю:

— Вот эта тема мне очень нравится. Вообще, все замечательные. Но эта — лучше всех!

Он сказал:

— Хорошо.

И я как бы перестал там присутствовать. Он мгновенно ушел в изучение этой сонаты и через два часа открывал наш концерт именно ею. Потом уже выходил я, и мы вместе играли сонаты Хиндемита и Шостаковича.

Рихтер ставил перед собой такие задачи всю жизнь. Есть знаменитый случай, когда он сыграл Нейгаузу какую-то сонату Скрябина вечером накануне консерваторского конкурса имени Скрябина. Нейгауз его очень похвалил. А назавтра на конкурсе он исполнил совсем другое сочинение, не то, которое играл Нейгаузу. Объяснил это тем, что раз Нейгауз не стал критиковать его исполнение и ему очень понравилось, то играть еще раз уже не имеет смысла, и поэтому он всю ночь учил другое произведение, чтобы победить вчистую.

Я не считал, сколько раз мы с Рихтером сыграли Сонату Шостаковича, но вот что заметил: она не мельчала. Он мог бесконечно погружаться в глубь композиторской идеи, и, к счастью, у меня не было ощущения, что я торможу его продвижение по этому пути. Наоборот, он увлекал меня за собой. И так — во всем, что он исполнял.

В студенческие годы я был свидетелем двенадцати концертных исполнений подряд Камерного концерта для фортепиано, скрипки и тринадцати духовых инструментов Альбана Берга, так как переворачивал Святославу Теофиловичу страницы. Признаться, в первый раз мне это сочинение было непонятно. И во второй раз оно воспринималось тяжело, потом лучше, лучше — и мне показалось, что в седьмой раз они сыграли его просто божественно, дальше некуда, дальше может быть только хуже. Ничего подобного! Самым лучшим было двенадцатое исполнение. В чем же оно улучшалось, вот загадка. Качество давно было стопроцентное, и продуманность, и степень отдачи — все было максимальным... Он какой-то был бездонный, Рихтер...

ОНА УПАЛА НА КОЛЕНИ ПРЯМО В ЛУЖУ И СКАЗАЛА: «СЛАВА, ТЫ МЕНЯ УБИВАЕШЬ...»

Как-то в Париже Святослав Теофилович предупредил, что он не хотел бы, чтобы во время концерта его фотографировали из зала со вспышкой, это его отвлекает. Но когда он вышел на сцену, в момент поклона увидел по пояс торчавшего из оркестровой ямы фотографа, который готовился его снимать. Рихтер, поклонившись, приблизился к нему, опустился на корточки и шепотом сказал: «Вы знаете, я просил, чтобы фотографа не было». Он был очень тактичным человеком и невероятно боялся обидеть кого-либо, что не исключало твердости — его позиция была принципиальна, хотя и шла вразрез с общепринятым мнением. Фотограф же, молодой парень, ответил, что он получил разрешение дирекции, поэтому, мол, все в порядке.

— Да нет, не в дирекции дело, — продолжил Рихтер, — это я просил, чтобы не было фотографов, я лично, поэтому прошу вас уйти.

— Нет, нет, у меня разрешение дирекции, это моя работа, я останусь.

— Ну, в таком случае уйду я.

Фотограф ничего не ответил, была пауза, после чего Рихтер развернулся и ушел со сцены. Далее я прямо вижу, как это произошло. Он снял с вешалки свой плащ, вышел на Елисейские поля... Моросил дождик, он прошел несколько сотен метров, и тут его догнала мадам — это была его многолетняя представительница в Париже, упала на колени прямо в лужу и сказала: «Слава, ты меня убиваешь! Сейчас будет скандал! Зал ждет! Я тебя умоляю, прости! Я понимаю, что случилось!»

— И что, вы вернулись? — спросил я.

На что он мне ответил:

— Юра, но это же женщина! Причем, представляете, на коленях, прямо в луже. Да, я вернулся. Но сказал, что сделаю это при одном условии: если она выйдет на сцену и расскажет, что произошло, потому что опять все будут говорить, что Рихтер сумасшедший или все время придумывает какие-то фокусы. Я же просил, чтобы не было фотографов, его и не должно было быть.

В результате он вернулся, дама вышла на сцену, объяснила ситуацию, публика стала свистеть, бросать в нее чем-то — как же так, вы обидели такого артиста! После этого начался концерт. Рихтер отыграл, а потом, уже в артистической, услышал шум и крик в коридоре, выглянул и увидел, что бьют этого фотографа. Ну, и тут уж — тоже типичный Рихтер — заступился за него.

Это нам кажется, что он чудак, а на самом деле Рихтер был очень последовательный и принципиальный человек.

Например, однажды он приехал в Швейцарию играть с Ойстрахом сонаты Бетховена для скрипки и фортепиано. А Ойстраху швейцарцы не дали визу,

99

то есть был выезд из Союза, но не было визы въездной, швейцарской. Рихтер несколько дней подряд намекал — нам надо репетировать, где же мой скрипач Ойстрах? Он вообще считал Ойстраха лучшим скрипачом мира. Существует фотография, подписанная Рихтером: «Лучшему скрипачу Давиду Ойстраху».

Ойстрах так визы и не получил, не приехал. Тогда обратились к Рихтеру:

— Вы позавчера играли сольный концерт. Почему бы вам не заменить и этот концерт на сольный, раз нет Ойстраха?

— Но это же вы, организаторы, не добились, чтобы он получил визу, а я приехал сюда играть сонатный вечер с Ойстрахом, и если его нет, то я не буду играть.

Мало того, он не просто не сыграл — он не играл очень много лет в этом городе. Самое удивительное, что через год Ойстрах прекрасно играл там свой сольный концерт уже без Рихтера.

В следующий раз подобная история могла случиться и со мной. Но Святослав Теофилович, видимо, решил действовать сам, ни на кого не надеясь. Это произошло в самом начале моей карьеры.

Должны были состояться гастроли во Франции. Но, как выяснилось позже, за некоторое время до этого я стал невыездным. Почему? Потому что пришло официальное приглашение в Министерство культуры СССР от Герберта фон Караяна с просьбой направить меня к нему в оркестр Берлинской филармонии концертмейстером группы альтов. То есть предлагался контракт. Однако в те времена это не поощрялось. Вернее, поощрялось для дружественных нам стран. Но, как известно, Западный Берлин к таковым не относился. Поэтому перед гастролями с Рихтером мой паспорт придержали. И он выдвинул ультиматум: если не едет Юрий Башмет — гастроли не состоятся и, мало того, в знак протеста он два года не будет давать концерты в Москве.

Об этом Нина Львовна рассказала мне уже в поездке, когда власти таки вынуждены были уступить и разрешили выезд. Дальше я опять стал выездным — раз вернулся из Франции с Рихтером, значит, не собираюсь убегать. Тем более что по распределению я получил место педагога Московской консерватории, ассистента профессора Дружинина. Так что, в общем, был уже устроен. В отличие от многих моих коллег я с легкостью отделался от штампа «невыездного» и даже узнал об этом много позже.

Или, например, Рихтер одиннадцать лет не выступал в «Ла Скала».

Когда-то у него был здесь очень удачный концерт. Он сам это говорил, а так он говорил редко, и если утверждал, что это был удачный концерт, то, по шкале Рихтера, это стопроцентно. Итак, Святослав Теофилович был очень доволен тем концертом и играл много «бисов»: раз люди так аплодируют и так просят, а у него такой подъем и все получается, он счастлив сегодня и может сразу дать еще один концерт... И вот когда он пошел играть пятый или восьмой «бис», то вдруг увидел, как рабочий сцены, открывая занавес, выразительно посмотрел на часы. (Не заметить этого рабочего было трудно, у него была яркая красивая форма — черного цвета и на груди мощные цепи.) Рабочий, конечно, ничего не сказал, но и так было ясно — мол, сколько же можно играть, домой пора!

Рихтер развернулся, ушел и одиннадцать лет не выходил на эту сцену. Я это знаю, потому что мы с ним играли в «Ла Скала» ровно через одиннадцать лет. Он сделал исключение для Квартета Бородина. Ниночка Львовна ему объяснила, что, если он не сыграет, Квартет Бородина потеряет свой концерт.

Он:

— Ну вот, опять я под нажимом, вынужден идти на компромисс!

И пошел на этот компромисс. Но прессе об этом никогда не рассказывал.

Похожий случай был в Ереване, когда я там гастролировал еще в далекое советское время. Гастроли были очень удачные. Меня хорошо принимали и после концерта повезли в горы угощать. Жарились шашлыки, произносились тосты, и директор филармонии обратился прямо ко мне:

— Дорогой, ты должен спасти армянский народ. Почему Рихтер так обижает нас, уже двадцать два года не приезжает в Армению? Я знаю, ты с ним выступаешь. Дорогой Юрий, ты должен привезти Рихтера в Ереван.

Я сказал, что поговорю со Святославом Теофиловичем, но заранее не могу обещать, что мне что-то удастся. Расскажу, как здесь замечательно, как принимают, как здесь любят музыку... Что и сделал. Когда же спросил Рихтера: «Зачем вы обижаете армянский народ?», он ответил:

— Юра, вы знаете, была такая история. Я как-то играл в Ереване, концерт удался, и я играл много «бисов». Когда собирался играть пятый «бис» и уже поднял руки, кто-то сзади тронул меня за плечо. Я испугался, повернулся, там стояла миловидная девушка, которая обратилась к залу: «Так, все комсомольцы быстро на комсомольское собрание!» Я ударил кулаками по клавиатуре и ушел. С тех пор двадцать два года не играл в Армении.

— Ну хорошо, это была молодая дурочка, но ведь

она была винтиком огромной системы. Ну простите их, ведь столько лет прошло!

— Да, мы поедем туда вместе, — отвечает мне Рихтер, — но только когда там сменится министр культуры.

— Почему?!

— Потому что нынешний министр культуры и есть та самая девушка.

Вот это было да! Он, который никогда не интересовался, кто есть кто, вдруг откуда-то знает такие подробности. Позже я не раз замечал, что он располагает какой-то невиданной информацией о самых разных вещах.

Он обожал звенигородский Посад. Место, где всего пятьдесят человек может вместиться в зал музыкальной школы. Это было счастливое время фестиваля «Посадские вечера», который он проводил летом с Олегом Каганом, Наташей Гутман и их общими друзьями. В этом фестивале помимо взрослых участвовали и их дети — совсем юные музыканты, которые ещё только учились или оканчивали Центральную музыкальную школу. Для Рихтера вообще была очень важна атмосфера, когда люди — все — находятся в совместном «полете», когда царят творчество и любовь к музыке.

Не так ли было и на «Декабрьских вечерах» в Москве? Часто раздавались упреки, что они, мол, для элиты и туда многие не могут попасть. Да, с одной стороны, это так. А с другой, Рихтер прекрасно понимал, что настоящее большое искусство классической музыки требует как раз камерности. Музыкальные вечера в Музее изобразительных искусств как раз такими и были. И не стоит забывать: их все же снимало телевидение, так что видела вся страна.

Рихтер считал, что лучше записывать «живые» концерты, чем делать запись в студии. И вот на одном фестивале, где он был артистическим директором, запретили делать запись нашего концерта. Нельзя, мол, и все! А когда мы вышли на сцену, оказалось, что стоят чужие микрофоны, видимо ангажированные устроителями фестиваля. Тут Рихтер так разозлился, что сломал их прямо на глазах у всей публики. Я подумал — сейчас отменят концерт. Стал его успокаивать, говорю:

— Да боже мой, отставили в сторону, и все нормально.

Потом руки дрожали и у него, и у меня. Нерв был большой.

А однажды я опоздал на концерт из-за болезни. Это было в Монпелье, на фестивале, который проводило «Радио Франс». Я задержался на полтора часа, потому что просто не мог двигать рукой, поехал к врачу. Врач привел меня в более-менее рабочее состояние, было больно, но я все же мог играть.

Когда мы на автомобиле буквально влетели на площадь, выяснилось, что публика не разошлась, а уселась за столиками кафе рядом. Сидели и ждали, потому что «Радио Франс» передавало постоянно: прямая трансляция задерживается, так как один из артистов по уважительной причине опаздывает, начало трансляции будет тогда-то.

Приезжаю. Душа болит, совесть мучает — боже мой, заставить Рихтера ждать! Это катастрофа! И вообще — сорвать концерт, прямая трансляция — ужасно!

Влетаю за кулисы, он стоит в углу. Я говорю:

— Ради бога простите! Ради бога!

И тут же начинаю открывать футляр.

Он мне:

— Юра, я волнуюсь, вы же не атлант. Вы сможете играть?

— Да. Я для этого и ехал. Простите, извините, я вам очень благодарен, что вы...

И в ответ:

— Ну-у, я просто за вас волнуюсь. Конечно, мы будем играть!

Так всегда: казалось, он может отреагировать резко — и будет прав, а он отнесся по-доброму, все понял и посочувствовал.

Дальше было очень смешно. Мы вышли на сцену. Там, оказалось, был сделан настил, и для меня оставалось очень мало места. Когда мы начали играть, какой-то человек пошел с видеокамерой по центральному проходу к сцене, повернул, и я понял, что, если сейчас Маэстро увидит этого типа, никакого концерта не будет. Мне ничего не оставалось, как только проделать настоящий цирковой трюк. Несколько знакомых русских и менеджер, бывшие в зале, говорят, что получилось потрясающе. Я, продолжая играть, двигался, как ширма, между Рихтером и этим оператором, чтобы Маэстро не увидел камеру.

Потом Святослав Теофилович меня спросил:

— А почему вы все время ходили?

Я ответил:

— А там очень неудобный настил, я все время искал место получше.

Оператора Рихтер не заметил и был очень доволен этим концертом. После концерта он предложил мне вместе поужинать. Я никак не мог пойти к нему сразу и сказал:

— Если можно, я приду попозже.

— Да, да, конечно, я буду ждать.

В результате я пришел только в четыре часа утра и решил, что не стану его будить, это некрасиво.

А на следующее утро встречаю Святослава Теофиловича расстроенным, невыспавшимся. Я извинился — встреча моя, мол, давно была назначена и касалась контракта для моего оркестра. Думал, мы час поговорим, но ошибся. Рихтер спросил:

— А когда вы освободились?

— В четыре часа утра, где-то в половине пятого был у вас, но не решился будить.

— Жаль. Я до шести утра вас ждал. Надо было войти.

И опять-таки не ругался.

«КТО СТОИТ, ТОТ И СОЛИСТ»

Рихтер был азартный человек. У него вообще была теория — раз мы родились, то должны все попробовать. Как-то он взялся уговаривать меня бросить курить, а я так и не смог это сделать. Спрашиваю его:

— А вы курите или когда-нибудь курили?

Он отвечает:

— Да я и сейчас хочу, дайте мне пару сигарет.

— Зачем сразу пару, я вам по одной буду давать.

— Нет, нет, прямо сейчас!

Взял пять сигарет, вставил их в рот и выкурил одновременно, и еще сказал, что любит, когда до самого нутра доходит — тогда понятно, зачем курить.

А вот еще типично рихтеровская шутка... Были мы во Флоренции с концертами. Висит афиша, а на ней: «Святослав Рихтер и Юрий Башмет». Он сказал, что отказывается давать сегодня концерт.

— Почему?

— Потому что должно быть написано «Юрий Башмет и Святослав Рихтер».

— Почему? Как? Вы Маэстро, вы — Рихтер! Все правильно, все нормально.

— Нет, — упрямится он.

— Но кто же тогда солист? — спрашиваю я.

— Кто стоит, тот и солист. И должно быть именно так.

Святослав Теофилович был большим умницей, с колоссальной фантазией. Она проявлялась, например, в неожиданности поступков. Однажды мы с ним невероятно загуляли во Франции. Мы от всех убежали, прелестно поужинали, много говорили о творчестве, о музыке. Он потрясающе знал либретто всех опер, все сюжеты. А после ужина сели в машину (я был за рулем) и ночью поехали по его старым знакомым — звонили в дверь, будили — в общем, дурачились. В одном из домов мы сели вместе с ним за рояль и стали импровизировать. Темы, которые предлагал Рихтер, были неповторимы. Я ему предложил, например, музыкально изобразить ощущение акробата в цирке в момент какого-нибудь тройного сальто. А он мне — сон пьяной собаки.

Так мы импровизировали, играли в четыре руки, и забыть это невозможно. А потом на сцене, в концертном зале, он опять превращался в Марса, если хотите.

АЛЬТОВАЯ СОНАТА С МАРСОМ

Когда я первый раз услышал Сонату для альта и фортепиано Шостаковича, мне даже странным показалось — цитата из «Лунной сонаты» на струнном инструменте! Стал над ней работать — мурашки по телу. Описать эту музыку невозможно, нет таких слов! Я уже говорил — она требует такой отдачи, что не сразу можно после ее исполнения прийти в себя. Даже Шуберта, даже Шопена можно исполнить как бы немножко «со стороны», абстрагируясь чуть-чуть, а эту сонату — нет. Берешь смычок, входишь в совершенно особое состояние и оказываешься непосредственно в мире происходящего. Гораздо ближе, чем публика, которая тебя слушает. Ты первый в очереди в чистилище, что-то вроде того.

Святослав Теофилович считал, что из трех сонат Шостаковича — скрипичной, виолончельной и альтовой — эта самая лучшая. Много раз мы играли ее и у нас, и за рубежом. Публика по-разному воспринимает. Тоньше всего — в Большом зале консерватории. Но реакция после исполнения всегда примерно одинаковая: тишина. И непонятно, кто ее нарушит, все боятся. Однажды в разговоре со Святославом Теофиловичем мы сошлись на том, что эта реакция самая верная. Не должно быть никаких «браво» в первый момент. Так и было в Большом зале...

Сонату тогда мы повторили дважды целиком! Ничего себе «бис»! Все равно что еще раз вывернуть всего себя наизнанку.

У Рихтера была способность одним словом объяснить очень многое. В третьей части есть место, где рояль перестает играть и альт остается один. В обычном понимании здесь начинается каденция альта. И вдруг на одной из репетиций Святослав Теофилович мне сказал:

— Юра, вы знаете, это скорее не каденция, а тутти.

Так он буквально словом перевернул все, указал на то, что я в темноте, на ощупь, пытался найти, но не успел. Тутти — это значит играть мощно, вместе, «всем оркестром», без мелких отклонений и каденциозных находок.

Рихтер — выдающийся ансамблист. Наверное, если бы он был актером, то тоже великим. И дирижером был бы потрясающим. Я уже по своему опыту говорю, что малейший импульс, исходящий от партнера, вызывал у него мгновенную реакцию, и притом очень инициативную: он тут же сам что-то предлагал в ответ и ждал твоей реакции, получал ее и так далее. Казалось бы: музыкант с таким ярко выраженным индивидуальным началом, со своим неповторимым почерком... А он был так гибок! И нисколько не подавлял...

Относить его к какому-либо направлению — «романтическому» или «интеллектуальному» — бессмысленно. Это тот самый сплав исполнительского мастерства и всех человеческих качеств, который и делал Рихтера великим.

Я никогда не видел его отдыхающим. Он или бешено работал, или устраивал какие-то балы, маскарады. Наверное, именно так отдыхал от рояля. Мог придумать себе экстравагантный костюм на вечер — не задумываясь оторвать рукав от смокинга и пришить на его место белый, задолго до всяких Версаче. Половину лица чем-то накрасить. Он был всегда открыт свежим идеям, но чутье и вкус никогда ему не изменяли. Феноменальные чутье и вкус. Ни малейшего намека на вульгарность. Рихтер был абсолютным воплощением творчества и в жизни, и в искусстве. Трудно даже сказать, где он был артистом, а где — самим собой. Наверное, все-таки изначально артистом, недаром он говорил, что сцена притягивает и диктует свои законы.

Подарит ли природа миру еще одного такого музыканта? Она щедра и одаривает людей набором каких-то исходных данных, но всякий ли может с ними справиться? А Рихтер справился.

Как-то в самом начале знакомства он предложил мне перейти на «ты». Сказал:

— Раз люди вместе музицируют, они должны быть на «ты».

— Я не могу говорить вам «ты». Не получится.

И в самом деле не получилось — ни тогда, ни потом, и я не жалею об этом. Меня всегда коробило, когда к нему кто-то обращался: «Слава, ты...» А вот с Ростроповичем, например, который тоже сам предложил «ты», это вышло естественно.

От Рихтера словно исходило какое-то излучение. Я не только на репетициях, не только на сцене с ним общался. Например, мы иногда вместе смотрели кино (он тоже его очень любил). И я ловил себя на том, что смотрю на экран его глазами. Он молчит, ничего не говорит, а я замечаю какие-то невероятные детали, которые сам, без него, поленился бы заметить. Он одним своим присутствием вытягивал из человека максимум. Жить рядом с собой заставлял по-другому — интенсивнее, что ли... Уезжал он на гастроли — и ты начинал скучать. Пусто в Москве. Мы все начинали его ждать. Телефон обрывали Нине Львовне: «Ну, что слышно?.. Когда приедет?.. Как себя чувствует?.. Что сейчас делает?..» И только когда он возвращался, возникало ощущение полной Москвы...

Мы все вечера проводили у него, практически

там жили, — либо репетировали, либо играли в игру, которую он в свое время придумал и изготовил по сюжету «Волшебной флейты». Надо было бросать кости и передвигать фишки. Соответственно, были всякие препятствия... Можно было разориться. Вернуться опять на ноль.

Однажды я проигрывал... А по правилам, как оказалось, проигрывающий должен был выпить бутылку красного вина.

— Вино хорошее, — сказал Рихтер. — Ниночка, принесите! Ну, Юра...

Я выпил, продолжил играть дальше и вдруг попал на какой-то номер, который вывел меня вперед с отрывом от всех остальных, намного! Выигрыш — 37 рублей. Нина Львовна говорит:

— Но у нас нет денег.

Он сказал:

— Нина!

После чего она пошла и где-то достала. Я попытался упростить ситуацию:

— Ну неужели мы действительно будем расплачиваться?

Он невероятно разнервничался, такой уж принципиальный человек — вынудил-таки меня взять деньги. Тогда я получил кличку «зверь».

— Ну, это зверь, раз он так у нас выиграл и вино выпил. Зверь!

Постепенно эта кличка перешла в «тигр». И «тигр» уже стал постоянным моим прозвищем. Называл он меня тигром только в хорошем настроении. Впрочем, там, у них дома, у всех были прозвища...

Я помню в предместье Мюнхена замечательную церковь, в которой мы давали концерт. Сохранилась где-то даже фотография: мы сидим в обнимку в артистической, перед нами непочатая бутылка коньяка — мы не пили до концерта.

Я начал нервничать, поскольку скоро надо выходить на сцену, а мы не проверили акустику. Я предлагаю:

— Может, все-таки поиграем что-нибудь?

Он:

— А зачем? Ведь мы уже столько играли.

— Ну, может быть, зал проверим на акустику?

— Мы же ее не изменим!

— А рояль вам не нужно проверить? Хотя бы одну ноту?

— Нет. — И остался за кулисами.

— Ну, а я выйду, хоть несколько нот попробую.

Я стою на сцене и разыгрываюсь. За моей спиной появляется Рихтер, огибает меня и, проходя мимо рояля, не останавливаясь, делает «пам» — всего одну ноту, и уходит. Я говорю:

— В чем дело?

— Вы же сказали, что я должен хоть одну ноту проверить!

На самом деле ему было неважно, на каком инструменте он играет. Потому что он подчинил инструмент себе. И мы всегда в конечном счете слышим, что это играет Рихтер.

Этот человек был невероятным тружеником, до бесконечности оттачивал мастерство. Но мог и не заниматься несколько месяцев. Вообще не прикасаться к роялю... Это называлось депрессией. Но если он начинал!.. Он вел книгу, в которой подсчитывал количество часов своих занятий. Святослав Теофилович считал, что заниматься должен в среднем пять часов в день. И если он сегодня провел за роялем три часа, то завтра будет — семь, чтобы вернуть вчерашний недобор. В конце концов долг у него доходил иногда до сотни часов. И не раз. Я свидетель, бывали такие дни, когда он занимался действительно с утра до ночи с коротким перерывом на еду. До глубокой, глубокой ночи, порой по двенадцать часов в сутки.

Его девиз в жизни был — преодоление самого себя. Он любил поставить себе какую-нибудь трудную задачу. Обойти Москву по Садовому кольцу или пешком дойти до Звенигорода, например. Эти задачи он обязательно пунктуально выполнял.

А были и смешные состязания. Однажды у него на даче устроили конкурс, кто больше съест пельменей. Участвовали Олег Каган, Андрюша Гаврилов, я, Митя Дорлиак, Таня Дорлиак, Нина Львовна и сам Маэстро. Я сдался первым. Помню также, что Андрюше Гаврилову было очень плохо, и он в невменяемом состоянии улегся на диван вместе с собакой.

....Странные вещи иногда вспоминаются...

Маэстро невероятно любил дурачиться. Как ребенок! Так искренне воспринимал музыку, вообще искусство. Мог прослезиться от красивой мелодии, от ее совершенства. Однажды я вошел в комнату, где он занимался, а он говорит:

— Хотите, я вам сыграю один божественный этюд Шопена? Все-таки какой он гений!

И сыграл мне Этюд ми-бемоль минор со сплошными отклонениями и модуляциями. Действительно, невероятное произведение! Совершенство! Это была щемящая музыка, тревожащая душу.

Когда прозвучал последний аккорд, Рихтер снял очки, и я увидел, что у него текут слезы.

Моя последняя с ним встреча состоялась всего за несколько дней до его смерти. Он только что прилетел из Парижа, хотя в принципе предпочитал не летать. Объяснял это тем, что ему становится не по себе, когда он не чувствует скорости встречного ветра. Я не знал, что он в Москве уже несколько дней, на даче. То есть в трехстах метрах от меня. И когда мне уже надо было на следующий день улетать в Италию на гастроли, я неожиданно узнал, что он здесь. И тут же позвонил. Подошла Нина Львовна, и я сказал, что завтра улетаю, что сейчас у меня встреча и так далее.

— А Маэстро на даче?

— Да, обязательно приходите, он здесь.

Я тут же примчался, мы встретились, он был такой слабенький, худой, но весь собранный какой-то. Удивительно, что его привычное выражение лица сохранилось. И когда он уже умер, тоже. Такое наполненное чувством собственного достоинства лицо. Лицо, которое он «носил» до самой смерти.

В тот день он спросил:

— У вас есть машина? Если вы свободны, давайте проедем по окрестностям и посмотрим деревенские церкви.

И мы поехали. Нина Львовна решила отправиться вместе с нами. Катались мы больше двух часов. Святослав Теофилович просил двигаться не быстро, не более 30 км в час. На большой скорости ему становилось некомфортно, он начинал нервничать.

Мы посмотрели несколько церквей. Я открывал

окно, подъезжал к церкви, он долго смотрел, не выходя из машины, потом мы отъезжали к следующей, в другую деревню.

Когда мы вернулись домой, ему было трудно подняться по ступенькам на крыльцо дачи. Нина Львовна помогала ему, и я тоже... Он остановился на площадке и пожаловался, что женщины заставили его опять заниматься, а его руки забыли, как это делать, и у него болит спина. Но он собирается заниматься и хочет исполнить сонату Шуберта.

— Какие женщины? — удивился я.

— Одна — зубной врач, которая сказала, что, если он не начнет заниматься, она ему сделает что-то очень больно с зубами, а другая — Ирина Александровна Антонова.

Я попрощался — мол, дней через десять увидимся. А он стоит на крыльце спиной ко мне и не уходит. И Нина Львовна говорит:

— Ну, Славочка, что же вы остановились, пойдемте, пойдемте!

А он молчит и все стоит. Нина Львовна опять:

— Ну, пойдемте, пойдемте, что же вы остановились? — И чуть-чуть его подталкивает.

И тут Святослав Теофилович наконец говорит:

— Ну, я же еще с Юрой не попрощался! — И так медленно повернул голову...

Я к нему еще раз подошел. Мы поцеловались. Вот так мы с ним и простились...

С уходом Рихтера я потерял главное — критерий жизни. Если хотите, он был для меня «живым примером». Так же, как когда-то моя мама. Ее уже давно нет, а критерий остался. Он не исчезает. Я надеюсь, что и связь с душой Рихтера не прервется.

Рассказ о «моем Рихтере» был бы предательски неполным, если бы я не включил в книгу специальный сюжет о «Декабрьских вечерах». И не только потому, что по предложению Ирины Александровны Антоновой и Нины Львовны Дорлиак и с одобрения, конечно, всего Совета музыкальных вечеров я унаследовал этот фестиваль, принял эстафету от Мастера. Главное — что буквально с того дня, как я вошел в дом Рихтера и Дорлиак, декабрь стал моим любимым месяцем в году. Уже много лет я выстраиваю свою гастрольную жизнь так, чтобы декабрь проводить в Москве.

За двадцать лет название «Декабрьские вечера» стало в Москве настолько привычным, настолько велика их популярность, что можно было бы не тратить лишних слов. И все-таки мне хочется напомнить одну историю, сославшись на воспоминания Ирины Александровны Антоновой, давшей, быть может, первый толчок к зарождению этого уникального фестиваля.

Летом 1981 года Святослав Теофилович пригласил Ирину Александровну посетить концерты организованного им во Франции, в Туре, фестиваля. Она рассказывала, что ее поразило придуманное им действо, и, может быть, более всего — необычность самого места проведения его. Можете себе представить средневековый деревянный амбар, построенный в XIII столетии в виде концертного зала, с чудной акустикой, которой нисколько не мешали ухающие время от времени совы, обитающие в его конструкциях. Тогда же родилась идея проведения музыкального фестиваля Рихтера в Москве.

Но где же? Конечно, в Пушкинском музее! Фестиваль состоялся в том же году. Рихтер придумал название «Декабрьские вечера». А Ирине Александровне хотелось — «Дары волхвов» (на Волхонке ведь...). Но Святослав Теофилович сказал: «Нас не поймут. Не то время».

Никого не хочу обидеть, но и сегодня, как мне кажется, мало тех, кто понял и оценил всю оригинальность замысла Рихтера. Для этого, наверное, действительно надо обладать как даром видения, так и даром слышания.

«Декабрьские вечера» — это не просто концерты в музейных залах, что делают многие. Это специально подготовленные тематические программы, в основе которых поиск созвучий музыки и живописи. Это не сопоставление, а некая полифония и в конечном счете взаимообогащение этих двух видов искусства.

Этот принцип получил наиболее удачное воплощение на четвертых «Декабрьских вечерах», посвященных музыке XX столетия. Ее представляли шесть композиторов: Стравинский, Прокофьев, Шостакович, Барток, Хиндемит и Бриттен. На выставке — книжная графика Матисса, которую сам художник называл «пластическим эквивалентом стиха». Если прибавить к этому вечер европейской поэзии XX столетия и сценические постановки оперы Бриттена «Поворот винта» и «Истории солдата» Стравинского, можно считать, что принцип синтеза был осуществлен полностью.

Ирина Александровна была душой и одновременно мотором всего происходящего. Без нее Святослав Теофилович, может быть, и не решился бы открыть такой фестиваль. Истории известны попытки соединить различные виды искусств. Скрябин пытался выражать свои образы с помощью звука и цвета; Чюрлёнис искал пути к соединению музыки и живописи.

Святослав Теофилович тоже не просто любил живопись, он, как и Чюрлёнис, сам писал картины. Поэтому вполне логично воплощение его фантазий в этом фестивале. «Декабрьские вечера» уникальны — не только для Москвы и даже для России, но и для всего мира. Я все-таки в течение многих лет гастролирую, участвую практически во всех фестивалях разных стран, но такого не встречал.

Сегодня я, альтист, взвалил на свои плечи невероятно ответственную ношу. И очень тяжелую. Это, конечно, почетно, но я же все равно не могу быть Рихтером. Рихтер был и есть один. Но для того, чтобы дело продолжалось, кто-то же должен... Мне кажется, самое главное, что фестиваль живет! Да, без Рихтера, его никто не заменит, но планка фестиваля ни в коей мере не опустилась. Взять хотя бы двадцатый фестиваль — он был абсолютно звездный. Роберт Холл, Питер Шрайер, Гидон Кремер и, конечно, все те, кто постоянно участвует в фестивале: Наталья Гутман, Квартет Бородина, Виктор Третьяков.

Наследие Рихтера живо. Фестиваль, его детище, — невероятно важная часть музыкальной жизни страны и ее столицы. Зритель приходит в Храм, где с потрясающим вкусом подобраны темы и сочетания разных искусств — живопись, музыка, поэзия.

При Рихтере иногда ставили и оперы, но чаще предпочтение отдавалось камерному музицированию. Святослав Теофилович постоянно искал такие камерные формы, чтобы контакт исполнителя и слушателей был теснее. Поэтому первый ряд в зале расставлялся полукругом, а некоторая часть публики даже сидела на сцене.

Я помню, однажды Святослав Теофилович соста-

118

вил программу из произведений разных композиторов на темы Паганини. И сделал такой немного театральный жест — он обратился в зал: «А кто-нибудь здесь есть, кто мог бы сыграть самого Паганини?» Вышел очень молодой тогда Сережа Стадлер, достал скрипку и исполнил «Каприс» Паганини. А дальше был уже и Шуман, и Лист на эту же тему.

Сегодня я испытываю ностальгию по тем декабрьским дням, когда все были живы и весь месяц были поглощены только этой идеей. Мы жили одним только фестивалем. Закрытие его традиционно проводилось 30 декабря. И я помню, что 31-е вдруг оказывался пустым днем, и тут мы с Олегом Каганом вспоминали, что у нас дома нет елки. Тогда ее нелегко было достать. Стояли огромные очереди. Как правило, мы все же к семи-восьми часам вечера, уже не знаю, каким чудом, доставали две елки. Однажды это было на путях в километре от Киевского вокзала, в страшном каком-то месте, где ночевали рабочие, приехавшие с Украины... Они, видимо, на каких-то остановках в пути срубали несколько елок и таким образом зарабатывали. На следующий год мы елки еще где-то находили. И так года три-четыре подряд как минимум.

Декабрь всегда воскрешал в памяти школьные годы, когда мы к чему-то готовились, когда нас всех объединяла некая идея. Вот так все крутилось вокруг Рихтера, все были вовлечены и увлечены. Теперь это ощущение творческой декабрьской круговерти у меня уже в крови. И я точно знаю: в декабре хочу быть в Москве, на «Декабрьских вечерах».

Конечно, можно очень много и долго вспоминать о том, что, собственно, происходило в эти дни. Жизнь! Была жизнь! Другой цвет, другой запах. И постоянное ощущение влюбленности. Весь декабрь!

«ВИКТОР ВИКТОРОВИЧ — ЭТО ЗНАЧИТ ПОБЕДИТЕЛЬ ПОБЕДИТЕЛЕЙ»

Все началось с Виолочки Ерохиной. Ее действительно звали Виола, что значит «альт». Работала она у нас в классе альта аккомпаниатором, и именно она сопровождала меня на конкурс в Будапешт. Виола — жена замечательного пианиста Миши Ерохина, который много лет выступал вместе с Виктором Третьяковым. Я частенько бывал в доме Ерохиных, дружил с ними.

И вот однажды Миша мне говорит, что Витя Третьяков, человек невероятной скромности, просил намекнуть — именно так: намекнуть, а не предложить, что он хочет поиграть со мной камерную музыку Брамса. И как, дескать, я к этому отнесусь. Представляете?!

Здесь мне придется опять прервать линию своего повествования и вспомнить несколько историй о Вите Третьякове и о том, как он стал кумиром для всех и меня в том числе.

Первым музыкальным инструментом Виктора Третьякова, по его собственным воспоминаниям, были крышки от кухонных кастрюль. На них он играл в «шумовом» ансамбле под руководством своего отца Виктора Васильевича Третьякова, трубача военного оркестра. Это происходило во время летних учений в полевых лагерях, куда отец брал с собой будущего скрипача.

Семья Третьяковых жила в Иркутске. Отец сам выучился играть на трубе и был прекрасным резчиком по дереву. Мать, Евдокия Григорьевна, в молодости играла на гитаре и пела в церковном хоре. Она-то и отвела мальчика в музыкальную школу, когда ему исполнилось семь лет. Хотела записать сына в фортепианный класс, но первым, кто встретился ей в школе, был скрипач Ефим Гордин. Он сказал:

— Пойдемте, я послушаю вашего сына.

Оказалось, что у Вити прекрасный слух и подходящие для скрипки руки. И Гордин предложил мальчику заниматься у него. С первых же занятий Гордин увидел, что музыкальные данные ребенка незаурядны, и принялся писать письма всем авторитетным московским музыкантам, чтобы устроить ученика к самому лучшему педагогу. Единственным, кто откликнулся, был известный преподаватель Московской консерватории, воспитавший многих замечательных скрипачей, Юрий Янкелевич.

Спустя много лет он вспоминал, что перед ним стоял маленький, худенький сероглазый мальчик лет восьми с копной светлых волос.

«Здравствуйте, — сказал он. — Я приехал к вам из Иркутска...»

Янкелевич попросил его поиграть. Витя не торопясь, солидно достал из толстого портфеля огромную папку и начал играть одну пьесу за другой. Тут были и сонаты, и концерты... Он поразил Янкелевича обилием репертуара и необыкновенной хваткой в игре. Тот поверил в него и стал заниматься.

Первое время после переезда в Москву Третьяков с матерью жили в общежитии, где она устроилась работать кастеляншей, отец оставался на службе в Иркутске. Но Янкелевич сумел добиться почти невозможного: старшего Третьякова перевели в Московский военный оркестр.

Поскольку Янкелевич занимался в основном со студентами, а детей только изредка консультировал, Третьякова определили для начальной подготовки к Инне Исааковне Гаухман — опытному педагогу по работе с малышами.

— Я занималась с Витей каждый день по два урока подряд — вспоминает она. — Два раза в неделю он бывал на занятиях у Янкелевича. А дома все задания проверяла мама, причем требовала только отличных оценок и в общеобразовательной, и в музыкальной школе. Характер у Евдокии Григорьевны был железный: пропускать она ему ничего не разрешала — даже простуженный, он все равно приходил на занятия. Заниматься на скрипке Витя, как всякий нормальный ребенок, не любил. Однажды я повела его в гости к своим коллегам продемонстрировать чудо-ученика. Он что-то сыграл, все были в восторге, стали расспрашивать: «Ты любишь заниматься на скрипке?» Он честно ответил: «Нет». — «А почему же учишься?» — «Мамочка велит». Мать он так уважал, что никогда не говорил «она», только «мамочка».

Школу Витя закончил с золотой медалью. Ему просто повезло, что он попал в хорошие руки.

Впервые Виктор Третьяков выступил перед московской публикой в конце пятого класса музыкальной школы. Играл с оркестром училища недавно написанный концерт Дмитрия Кабалевского в Большом зале Московской консерватории. Был большой успех, почти триумф. Все отметили и технику, и эмоциональность, и свежесть звучания. А ведь Витя играл на самой заурядной скрипке, а не на инструменте работы выдающегося мастера.

Регулярно концертировать он начал с семнадцати лет. Но первый серьезный успех пришел к Третьякову в девятнадцать, на Третьем Международном конкурсе имени П.И.Чайковского.

— Как же ему не добиться успеха, если его зовут Виктор Викторович, то есть «победитель победителей», — шутит Инна Исааковна. — Он с детства никогда ничего не портил на сцене. Какой бы отточенности от него ни добивались на репетициях, лучший вариант исполнения всегда был на публике.

Состав скрипачей на конкурсе был очень сильным: Олег Каган, Олег Крыса, Рубен Агаронян, Мацуко Усиода, Йоко Сато... Эти музыканты, тоже получившие тогда премии, входят сейчас в элиту мирового скрипичного искусства. Тем не менее лидерство Третьякова сразу оказалось несомненным. Известный американский скрипач Ефрем Цимбалист, входивший в состав жюри, сказал:

— С первых же туров я видел только одну возможность присуждения первой премии — Виктору Третьякову.

Больше он не участвовал ни в каких конкурсах: сразу же, одно за другим, последовали концертные турне по всему миру, приглашения от импресарио, записи, съемки, автографы...

Итак, когда я встретился с ним, ответив на его «намек» радостным и немедленным согласием, он уже десять лет пребывал на Олимпе.

В это же время концертировали выдающиеся молодые исполнители: Спиваков, Кремер, Каган... или Каган, Кремер, Спиваков — не важно, в какой очередности. Они совершенно разные, невероятно отличающиеся друг от друга.

Спиваков — это звук, яркость, изыск в лучшем смысле этого слова. Уникальный музыкант.

Олег Каган — поразительно тонкий, элегантный скрипач. Рихтер назвал его Моцартом, и не напрасно.

А экстравагантный Гидон Кремер всегда удивлял программами. Этакий виртуозно-рациональный скрипач, феерически владеющий грифом.

Что же за явление Виктор Третьяков рядом с ними?

Он — «эталонный скрипач» во всем объеме этого понятия. Можно резко отличаться звучанием, можно резко отличаться интеллектом, можно резко отличаться элегантностью и вкусом. Но можно иметь и то, и другое, и третье понемножку и, обладая некой гармонией во всем, просто идти по тому пути, которым уже прошли сотни выдающихся скрипачей мира, и тем не менее суметь сказать свое и оставить след в сердце слушателей.

В силу своего характера он оказался далеко не первым из наших выдающихся тогда молодых скрипачей, с кем я начал музицировать. Все потому, что он не умел ни подать себя, ни тем более рекламировать. Так, скажем, первая «Концертанте» Моцарта была у меня со Спиваковым. Я получил от него записку, где он предложил встретиться на репетиции, для того чтобы совместно исполнить Концертную симфонию Моцарта. Репетиция, если я смогу, должна была состояться на следующий день в 10 часов утра — и ниже номер его телефона. Скорость была именно такой: сегодня записка, а утром репетиция. Времени на размышления нет. Я с радостью согласился.

Мы много репетировали. И результат был феерический! О нем люди помнят до сих пор. Я тогда не задумывался о стиле исполнения — да и кто вообще знает, как нужно исполнять Моцарта. Но тогда у нас было свое собственное прочтение этого произведения, и мы много играли его по всему миру. Спиваков тогда гастролировал со своими знаменитыми «Виртуозами Москвы», и я с ними в качестве солиста.

Потом, когда я вышел на какой-то уровень, у меня появилось очень много предложений для совместного исполнения этого произведения. И я играл его и с Айзеком Стерном, и, конечно, с друзьями — Третьяковым, Каганом, а позднее с Венгеровым, Репиным, Хиллари Хан (есть сейчас такая звезда американская)...

Я считаю себя счастливым человеком. Конечно, в ансамбле я просто обязан совпадать с партнером. Но вот так, чтобы эта музыка не перестала жить во мне, не подделываться под партнера, а все-таки говорить свое, можно было, пожалуй, только с Витей. Он — удивительный партнер. Мы с ним очень дружим, между нами нет преград в способе самовыражения. Это все равно что рассказывать нечто очень интимное — только близкому, надежному человеку, способному понять и поддержать. Так и в музицировании... Я играю так, как я хочу, как я чувствую и знаю, что это будет принято. И даже если случится неудача (не всегда же все получается), в ответ я получу всегда искренний, очень душевный порыв. То же самое ощущает, видимо, и Витя. Мы любим вместе выступать.

Я не знаю, как назвать это, — понимание просто разлито в воздухе между нами, когда мы играем вместе.

В советские времена нам постоянно вдалбливали, что «амбиция» — это плохо. Человек с амбициями — непременно плохой, желающий больше, чем у всех, и нагло требующий всего себе. В Европе и в мире это слово означает устремления, желания и действия, направленные к их достижению. Слово «карьера» у нас тоже получило какое-то отрицательное значение. Человек, который сделал карьеру, — это обязательно человек нечестный, нечистоплотный.

А вот вся амбиция, вся энергия Третьякова направлена на достижение именно музыкальной цели. Амбиция состоит только в том, чтобы достичь максимального музыкального результата. А что касается его карьеры — поверьте мне, она безупречна. Я должен сказать, что его талант не дает ему возможности заснуть или остановиться. Это человек удивительно восприимчивый к новому, и он честен во всем; если чего-то не понимает, говорит об этом вслух; если делает какую-либо ошибку, то она такая большая, такая честная ошибка, какая может быть либо у древнегреческого героя, либо у слона.

Интервью Виктор Третьяков не дает. Он всегда немногословен, не любит вокруг себя шума и суеты, избегает официальных собраний... Неопределенности и пустой траты времени не терпит. И неудивительно, ведь расписание концертов у него настолько плотное, что иногда он проводит дома между гастролями считанные дни или даже часы.

Это не значит, что, кроме скрипки, для него ничего не существует. Он прекрасно играет на рояле, увлекается волейболом, лыжами, стрельбой, знает толк в машинах. В своей компании замечательно, в лицах, рассказывает анекдоты. А вот фамильярности от людей неблизких не допускает, и потому его побаиваются, а некоторые и недолюбливают.

Несколько лет назад я все-таки уговорил Виктора прийти со своими дочерьми в студию на запись «Вокзала мечты». И привел своих детей. Мы записали внеплановый «Вокзал-концерт». Мой сын Саша играл на блок-флейте, дочь Ксюша — на рояле. Витины дочери тоже музицировали. Аня играла на скрипке, Маша — на фортепиано. Все было серьезно, конечно, по-детски, но весьма культурно и профессионально. Потом, после концерта, сидели, разговаривали. И вдруг Саша задал вопрос:

126

— Дядя Витя, у вас две дочки, а вы не хотели бы иметь сына?

И попал в «десятку». Третьяков вскочил:

— Я очень люблю своих девочек, но тебе и твоему папе невероятно завидую. Белой завистью...

Это была, так сказать, официальная часть ответа, попавшая в программу, затем он со смехом добавил:

— Не могу я, с утра встаю, а кругом — бабы! Бабы слева, бабы справа!

При монтаже редакторы эту фразу вырезали.

ОН УМЕЛ МНОГОЕ...

Это было давным-давно. Очень давно. В 1971 году. В Большом зале консерватории. А точнее даже, не в самом зале — а внизу, в преисподней, у той самой черты, у того барьера, который всегда разделяет счастливчиков и неудачников. Счастливчики уже успели подняться наверх, предвкушая редкостное удовольствие — сонаты Бетховена в исполнении Ойстраха и Рихтера. Я оставался за чертой, за барьером, несчастный тощий первокурсник.

Существовало, конечно, понятие прорыва. Студенты собирались в фойе и по какому-то знаку разом срывались с места, сносили эти перила и... ищи-свищи. Я тогда не попал в прорыв и грустно стоял один. Неудачники уже разошлись, буквально человек пять-шесть было в фойе Большого зала.

Вдруг ко мне подошла красивая женщина, и мне показалось, что я ее где-то видел. Подошла и сказала:

— Что, нет билета?!

— Нет.

— На. — И протянула мне билет.

Я посмотрел, сколько он стоит — три рубля или рубль восемьдесят, и стал доставать деньги.

Она сказала:

— Спрячь, а то сейчас заберу.

Так я попал на этот концерт. И оказался рядом с женщиной, которая отдала мне билет.

Вот мы сидим вместе. Ойстрах и Рихтер играют. Невероятно! Зал переполнен. После первой сонаты открылась боковая дверь, и появилось лицо. Розовое лицо в копне волос, сияющее, очень возбужденное. Молодой человек стал быстро искать по залу глазами и остановился на мне. Опоздавший на концерт смотрел на меня очень зло, нетрудно было догадаться, чей билет мне достался. Я ни его, ни ее еще не знал, но догадался, что у них роман, он явно влюблен, а она поступила чисто по-женски: раз опоздал — взяла и отдала билет какому-то студенту. Так я впервые встретился с Наташей Гутман и Олегом Каганом. Через много лет я как-то вспомнил этот случай и рассказал Наташе. Она удивилась:

— Да, это был действительно ты, черт!

У них тогда все только начиналось. Потом они сами рассказывали, как известная виолончелистка Наташа Гутман встретила в коридоре консерватории молодого скрипача Олега Кагана с есенинской копной волос, только что блестяще победившего на конкурсах имени Сибелиуса и имени Баха, и обратилась к нему с вопросом:

— А не сыграть ли нам двойной концерт Брамса?

И они сыграли. Раз, другой, сотый. Год за годом, более двадцати лет. Все то время, что было отпущено им на двоих. Все то время, пока они могли быть вместе на этой земле.

Он умел многое: организовывать фестивали в России, Австрии, Германии. Играть соло и в ансамбле, петь в комических операх и писать смешные рассказики. Но не умел привлекать внимание к своей персоне, выслуживаться и кривить душой — был неприспособляемым. Его нельзя было не любить. И я счастлив, что мне, как немногим, перепала частица его сердца. Не просто от щедрости, надеюсь. От общности музыкальных вкусов и отношения к жизни. От естественного и органичного нашего «общества взаимного восхищения», куда входили, конечно, и Олег, и Наташа, но более всех Маэстро Рихтер. Именно Святослав Теофилович создал вокруг себя такую атмосферу, в которой мы не могли не стать друзьями.

Мы немало успели переиграть вместе, но лишь великую «Симфонию-Концертанте» никак не удавалось. Я уже со многими сыграл этот моцартовский шедевр. А вместе с Олегом не получалось. Он даже говорил:

— Знаешь, когда наиграешься и запишешь, вот тогда уже и мы будем играть. Я мечтаю, что мы это сыграем...

Тогда, в самом начале восьмидесятых, у меня были обязательства, при которых я не имел морального права играть с другим скрипачом. Но когда я узнал о болезни Олега, меня просто пронзило. Я подумал: «Боже мой! Какие тут обязательства, если друг смертельно болен, а у него мечта сыграть это произведение». Мгновенно и сознательно нарушил все обязательства и предложил ему выучить «Концертанте».

А там, где успел, заменил программы, и мы несколько раз с ним сыграли, еще когда была надежда, что он выздоровеет. Параллельно шли операции, одна за другой, но ему становилось все хуже. И вдруг совершенно неожиданно представился потрясающий случай.

Конечно, у «случая» было имя. А также дипломатическое звание и прочее и прочее. «Случай» нашел повод и место.

Отчего бы не устроить презентацию нового журнала «Вестник МИД СССР», например, в Зальцбурге?! Дескать, вот, смотрите, как поворачивается к миру своим демократическим лицом новая Россия! Ура! А Зальцбург — это Моцарт! Чем бы таким удивить мир на этом политическом фоне? Можно дать концерт в Моцартиуме. Там, в музее, лежат инструменты Моцарта, которые никогда никому не давали...

Словом, Виталий Леонидович Миляев, главный редактор журнала «Вестник МИД СССР», пообщался с бургомистром в Зальцбурге, договорился с ним и — вперед!

Австрийцы на этом фоне решили усилить политическую идею акции и стали мне предлагать какого-то вундеркинда-австрийца. Это замечательно — русский сыграет с австрийцем на инструментах Моцарта его концертную симфонию!

Пришлось выдержать довольно тяжелый бой. Я-то понимал, что должен быть Олег. По многим причинам. Не потому, что он болен и, может быть, смертельно, а потому, что Моцарта должен был играть Олег; это его композитор. Не случайно Рихтер называл Олега Моцартом.

Бой был долгим. В конце концов мне пришлось сказать им, что Олег Каган смертельно болен. Они сломались.

Послали Анатолия Кочергина, гениального мастера, за трое суток до нашего приезда. Он привел эти инструменты в порядок. Наконец приехал я со своим оркестром, а Олега нет. Я позвонил Наташе Гутман.

Выяснилось, что он в Мюнхене, в больнице на химиотерапии. С колоссальным трудом я ее уговорил, объяснил, что это может быть лучше всякой химиотерапии, когда Олег осознает, что он первый скрипач в мире, который будет играть на скрипке Моцарта. И Наташа его привезла. Он был уже без волос, но глаза сияли... К счастью, есть фильм, который полностью запечатлел эту историю. Приезд, наш проход по Зальцбургу, опробование инструментов в музее и, наконец, сам концерт.

Но это было не последнее наше с Олегом исполнение «Концертанте». Его мечта была сыграть это произведение еще раз. Через два месяца они с Наташей открывали их первый фестиваль в Кройте, это недалеко от Мюнхена.

Олег уже, конечно, понимал, что идут последние дни его жизни. Он очень изменился физически. Врачи сидели в первом ряду. Его с трудом можно было вывести на сцену.

Он:

— Как же я буду играть?

Я говорю:

— Стул поставим тебе, высокий стул контрабасовый со спинкой.

Потом я понял — надо пойти дальше. Я достал два таких стула, второй для себя, чтобы одинаково все это выглядело.

Скрипку выносил Славик, Наташин сын (и Олега, конечно, тоже, потому что он его воспитывал). Я помог Олегу выйти на сцену. Потом он сел. И началось первое тутти, которое он на репетиции назвал лучшей страницей этого произведения.

Пока я дирижировал, он сидел с закрытыми глазами. Когда оставалось несколько тактов, я испугался: ведь он же был напичкан лекарствами и мог просто заснуть! Что сейчас будет?! Повернулся к нему и шепотом позвал его. Он сказал: я здесь! И затем очень быстро поднял скрипку, когда надо было играть.

Ему, наверное, физически было очень трудно. Все его показатели медицинские были какие-то нулевые. Врачи не понимали: как, каким духом он играет, благодаря чему?!

Я думаю, каждый сидящий в зале, даже те, кто не знал о его болезни, понимал, что происходит что-то необыкновенное. Такое, что бывает раз в жизни.

Вторая часть была исполнена глубоко искренне и вдохновенно, тем более что музыка соответствовала настроению и ситуации на концерте. А в технически трудных пассажах финала ему было уже совсем тяжело. Ведь эта страшная болезнь поражает кости, и человек становится вдруг маленьким, и все его ощущения уже другие... И вот последний пассаж, который считается очень сложным психологически, на нем ломаются многие исполнители. Первым вступает альт, второй — скрипка, и — конец. А Олег, видимо, копил силы к этому пассажу и сыграл его идеально по качеству, с колоссальной энергетикой, блестяще! И финал получился оптимистическим...

Были назначены и другие концерты Олега, ведь никто не знал, сколько он сможет еще выступать... Везде, где мог, я поставил в программу «Концертанте» с Олегом. Три дня спустя я прилетел из Мюнхена в Тур, во Францию. Вечером мы сидели вдвоем с Витей Третьяковым и ужинали. Я ему рассказывал, в каком плачевном состоянии Олег и как мы только что сыграли. А глубокой ночью позвонила моя жена и сообщила, что Олег умер.

Не стало удивительного, чистого, идеального человека. Даже можно сказать — Человека Земли. И подумалось, если все будет хорошо на земном шаре, если человечество будет любить классическую музыку, верить в Бога и заниматься самосовершенствованием, то тогда, может быть, в XXI веке Олег станет идеалом для всех...

Когда это будет?!

«НУ ЧТО? СЫГРАЕМ ЧТО-НИБУДЬ?»

Мне очень легко было запомнить год рождения Миши Мунтяна, просто переставить цифры — и все. Я вот 53-го, а он 35-го. Услышал я эту фамилию в начале семидесятых годов. Вот, дескать, есть такой пианист, который неоднократно выступал с альтистами, а также выезжал на международные конкурсы.

Как-то я оказался на концерте моего учителя Федора Дружинина в Малом зале консерватории. Исполнялась соната Гуммеля. В ней есть несколько эпизодов, где пианист должен быть виртуозом по самому большому счету. Тогда я и услышал совершенно блестящие пассажи Миши Мунтяна и подумал: вот бы мне когда-нибудь с ним выступить, совместно сделать программу. Набравшись смелости, я спросил у Дружинина, можно ли мне обратиться к Мунтяну для того, чтобы поехать с ним на конкурс в Мюнхен. Дружинин согласился, я подошел во дворе консерватории к Михаилу Владимировичу и предложил. Он сказал: «С удовольствием».

Было лето, конкурс — в сентябре. Михаил Владимирович все это время то отсутствовал, то был занят. Я очень волновался, что мы не репетируем, не готовимся, и когда наконец, за десять дней до конкурса, была назначена первая репетиция, выяснилось, что он серьезно поранил палец — указательный! — и играть сейчас не может. Ну что делать! Пришлось пережить еще несколько нервных дней — неизвестно было, сможет ли он вообще играть в ближайшее время.

И вот — первая репетиция. Шуберт, Соната «Арпеджионе». Миша играет тему изумительно, я вступаю, и мы с ним проигрываем первую часть. Смотрим друг на друга, и — сказать нечего, ну, практически нечего. Как будто всю жизнь вместе играли и играли. Этот «ключ совпадения» работает и по сегодняшний день. Конечно, бывали и нервные репетиции, бывали и взлеты, и огорчения, поскольку все-таки двадцать пять лет совместной деятельности на сцене и вообще дружбы — солидный срок. 25 лет — это серебряная свадьба. Для того чтобы выдержать друг друга столько, нужно особое мастерство и человеческий талант.

Миша — удивительный человек. Он невероятно остроумен, стремительно соображает, очень лаконично и точно выражает мысль.

Не могу опять не вспомнить тот мюнхенский конкурс! По дороге в Мюнхен в поезде я сильно заболел, у меня поднялась очень высокая температура, и Миша пытался меня лечить. И таблетками, и коньяком. Всем, что только было под рукой. Я приехал в Мюнхен почти в невменяемом состоянии, даже не мог принять участие в жеребьевке — достать свой номер из кувшина. За меня его достал мой коллега. И это был 13-й номер...

Было ясно, что в конкурсе участвовать не сумею — температура 39. И вот уже три дня идет конкурс, а я в забытьи каком-то, сплю не сплю.

Как-то я очнулся, посмотрел на часы и подумал:

а ведь сегодня последний шанс — меня ведь из-за болезни отодвинули на заключительный день.

Я взял альт и пошел в Хохшуле. Спрашивал у прохожих, как туда пройти, ведь я там еще не был. Когда добрался, Миша страшно удивился, удивился и Юра Гандельсман — хороший альтист, участвовавший в конкурсе. Все удивились, потому как три дня в глаза не видели.

Мы с Мишей вышли на сцену, и он сказал свою знаменитую фразу: «Ну что? Сыграем что-нибудь?» Представьте мое состояние: слабость невероятная, неуверенность. На конкурсе человек должен ведь сконцентрироваться, собраться с мыслями и выдать свой максимум. В конце концов, это ж соревнование! И вот я стою, весь никакой, и слышу за спиной: «Ну, так сказать, сыграем что-нибудь?» Фраза-бальзам мгновенно сняла все напряжение...

Нас с Мишей связывает множество забавных случаев, особенно на гастролях, это ведь вообще особая жизнь. Один из самых знаменитых произошел с первым составом оркестра «Солисты Москвы» в Берлине, который тогда еще был разделен на две части Берлинской стеной. Нас поселили в Западном Берлине. Первый концерт был в Восточном, и только на следующий день — в Западном. Один из музыкантов коллекционировал оружие. Официально, так сказать, с паспортом покупал пистолеты, ружья. Но он же был и нашим нотным библиотекарем. Прилетели мы в Западный Берлин. В аэропорту на экране монитора таможенники увидели пистолет. Весь багаж оркестра был задержан. Мы вышли из аэропорта на два с половиной часа позже, потом добирались до отеля, потом на границе между Западным и Восточным нас вновь задержали. Видимо, туда сообщили из аэропорта, что где-то там у музыкантов пистолет, и нас еще раз чистили как следует. На этом пропускном пункте мы потеряли еще час и соответственно без отдыха, голодные и небритые, отправились в Шаушпильхаус на наш концерт. С опозданием ровно на час.

Приезжаем. Первый номер — Концерт для альта и струнного оркестра Телемана. Там нужен клавесин. В зале стоит огромный концертный клавесин ярко-малинового цвета. Хорошо. Но тут выясняется, что чемодан с пистолетом нашему музыканту-библиотекарю не вернули, а в чемодане ноты!.. Стало быть, я должен играть Концерт наизусть. Мы подумали, а что, если поставить клавесин на авансцену, я буду стоять за Мишиной спиной и смотреть в его ноты.

Так и сделали. Клавесин занял практически всю сцену. Я извинился перед публикой за то, что мы начинаем концерт на час позже, объяснил ситуацию, но лица немцев оставались непроницаемыми, строгими и недовольными. Я повернулся к оркестру, дал ауфтакт, и тут вместо чистого соль мажора раздался катастрофически фальшивый аккорд! В суматохе мы не успели проверить клавесин, а он оказался совершенно расстроенным. Далее — представьте себе: Миша сидит на авансцене как солист-пианист, я стою за его спиной, оркестр — за нами. Миша снова берет соль-мажорный аккорд, опять ужасная фальшь, он резко забирает руки. Через один такт вторая попытка. Я слышу такое «ква-ква» в клавесине на полтона. Дело в том, что мы с клавесином расходились в настройке примерно в четверть тона, и Миша никак не мог найти тональность. Через два такта он сделал последнюю вялую попытку, я услышал одну ноту «ква» — какую-то совсем уж запредельно фальшивую, и после этого Миша солидно опустил руки на колени — дальше бороться с инструментом было невозможно. Он продолжает очень фотогенично сидеть, а я играю. Оркестр уже весь в слезах и истерике. Я тоже отворачиваюсь, тоже смеюсь. Представьте ситуацию: уйти-то он не может — я играю по его нотам. Когда я доигрываю страницу, он переворачивает ноты и руки опять опускает на колени. Вот такая история, и их были сотни. И за рубежом, и в Союзе.

«О ЛЮБВИ НЕ ГОВОРИ, У-У...»

Кстати, очень трудно было включить альт в гастрольный план Союзконцерта, поскольку раньше этого не было никогда. Я приложил немало усилий, и наконец-то — свершилось. В гастрольную поездку входили такие города, как Бугульма и Альметьевск. Мы с Мишей встретились в Москве на перроне перед поездом, и он сказал: «Так, Юрик. Единственное, что я хочу тебе сказать, — без чувства юмора туда на гастроли ехать нельзя».

Я вспомнил его слова, когда мы оказались в Альметьевске и нас, естественно, никто не встретил. Мы сели в газик и поехали: грязные мартовские поля, грязные нефтяные вышки на горизонте и ничего больше. Едем уже два часа, замерзли — печка в газике не работает. В конце концов приехали в город. Шофер говорит: «Все. Выходите». Я наивно спрашиваю: «А скажите, пожалуйста, где отель, куда селят артистов? Вы не знаете?» Он отвечает: «Так вот он». На обшарпанном доме перед нами написано: «Гостиница». Я говорю: «Может, есть другая гостиница?»

Он: «Не понимаю, гостиница и есть гостиница!» То есть там нет названия гостиницы, потому что она одна. В номере кран, который должен быть над умывальником, почему-то на полметра правее. Приходилось действовать очень энергично, чтобы вода попадала не на пол, а в раковину. В общем, там много было таких прелестей. Но самую замечательную мы обнаружили вечером. Оказалось, организаторам выгоднее было просто ставить печать, что концерт состоялся, а не проводить его: не платить осветителям, за аренду зала и так далее. Просто поставить печать и оплатить артисту, чтобы он молчал. Это малоприятно, но что делать, ведь не выберешься оттуда до окончания срока гастролей. Короче говоря, мы с Мишей за эту поездку от невероятной скуки вынуждены были восемь раз посетить кинотеатр и восемь раз посмотреть фильм «Женщина, которая поет» с Аллой Борисовной Пугачевой. С третьего раза это вызывало у нас истерику, мы уже могли цитировать его наизусть, петь. После поездки у нас с Мишей появился позывной: «О любви не говори, у-у-у!»

Бывали, конечно, в наших разъездах и какие-то приятные моменты. Но ужас в том, что ездишь-то десять дней, из которых семь — холостые. И уже начинаешь к этому относиться халтурно.

Вдруг мы оказались недалеко от Красноярска, в городе без названия, под каким-то номером. Концерт в двух отделениях должен был состояться в школе, и мы, памятуя прошлые впечатления, заменили программу. Там стояла Соната Шостаковича, а мы решили сыграть все в одном отделении и какую-то более легкую, доступную музыку. «Колыбельную» Брамса, «Павану» Равеля и тому подобное.

И что же оказалось! Это была музыкальная школа, а один из педагогов — абсолютный фанат Шостаковича. Он месяц обучал своих учеников, знакомил с Сонатой Дмитрия Дмитриевича, и они знали ее и ждали, когда мы ее исполним. А мы-то думали, что это никому не нужно! Приняли нас все равно очень хорошо, но педагог нам потом говорил: «Что же вы натворили?!» Оказывается, он учился когда-то в Москве и знал Мишу лично. Потом мы были у него в гостях. Смешно и грустно...

Считается, что я вошел в историю потому, что был первым альтистом, который дал сольные концерты чуть не во всех культурных столицах мира. До меня этого никто не делал. В Амстердаме, Токио, в Милане в театре «Ла Скала», в Карнеги-холл в Нью-Йорке, в Мюзикферайн в Вене, в Париже, в Лондоне и, конечно, в Москве и Петербурге.

Все то, что я сейчас перечислил, и то, что я еще не назвал, мы проходили вместе с Мишей. Мы стояли с ним на сценах всех этих знаменитых залов, мы действительно очень дружим. Так случилось, что два раза он ездил со мной в роддом забирать моих детей: сначала дочь, через несколько лет — сына. Когда нам с Мишей выдавали мою дочь Ксюшу, я ее чуть не уронил, потому что врач сказала: «Ой, какой молодой у вас дедушка!» Дети мои его очень любят и считают членом нашей семьи.

Сейчас мы меньше стали гастролировать вместе, меньше видимся, но это никак не сказывается на наших отношениях. В ответственные моменты он всегда рядом.

Для Миши самое большое счастье — быть по жизни нужным и знать, что впереди концерт и нужно к нему готовиться. Он очень любит работать, и для него важно и необходимо само «состояние сцены».

Когда я вернулся после победы на конкурсе в Мюнхене, то обнаружил, что Москва об этом не знает. В Мюнхене, где Федор Серафимович Дружинин был в жюри конкурса, мы с ним радовались и праздновали победу, нашу общую победу — мою, его и Мунтяна. А в консерватории об этом никто не знал и никто меня не поздравлял.

Только здесь, в Москве, я понял, как устал. А тут еще из очередной квартиры выгнали. Слава богу, сокурсница разрешила нам пожить у нее месяц, пока она будет в отпуске, а то хоть на улицу. Я забрался в эту квартиру, никуда не выходил, просто отлеживался, отсыпался, смотрел купленный на премию телевизор, слушал пластинки, которые привез из Мюнхена. И вдруг раздается телефонный звонок: «Здравствуйте, с вами говорит Гидон Кремер. Поздравляю с победой на конкурсе, и у меня есть к вам предложение — вы не могли бы принять участие в премьере фортепианного квинтета Альфреда Шнитке и затем записать это произведение?»

Я с радостью согласился. Пришел на первую репетицию. Честно говоря, сначала не понял, что там происходит. Но в тот же вечер поймал себя на мысли, что все время внутренне проигрываю эту музыку. Вскоре я был уже по уши влюблен в это произведение. Несколько дней длились очень интересные репетиции, потом — запись.

Но беда в том, что запись этого квинтета совпадала с моим выездом на первые гастроли в ФРГ вместо Баршая с Московским камерным оркестром. Мы не успевали дописать, а была пятница, и нужно было получить всяческие документы, билеты, паспорт.

И все это в Госконцерте — до окончания рабочего дня. Тут Гидон сказал мне:

— Знаешь, давай будем писать смело до пяти, а потом я с тобой поеду, поскольку ты не знаешь — как и что, а я все там знаю и быстренько помогу тебе оформить.

Так и было...

Мало того — у меня еще и фрака не было. А по фигуре, по длине рук единственный, у кого можно было одолжить фрак, — тот же Гидон — он худой, и у него длинные руки. Он сказал:

— Да-да, конечно, я дам тебе фрак, у меня их два, заезжай сегодня попозже.

Жил он на Ходынке. Когда я приехал, еще у двери услышал звуки скрипки — он занимался. Буквально на минуту Гидон остановился в дверях, открыл мне и тут же, продолжая играть, сказал:

— Вот здесь, в комнате, я приготовил все, ты возьми.

Я взял, примерил — замечательно! Потом он говорит:

— Ну, давай чаю выпьем, я сделаю паузу на пятнадцать минут.

Мы стали пить чай — очень быстро, нервно, потому что он был увлечен работой, находился в творческом процесссе. Но я все-таки спросил его совета, как впервые выезжающий в длительную гастрольную поездку, как там себя вести.

— Первое, — сказал он, — ты должен обязательно обедать каждый день в ресторане, твоя фамилия указана на афише, ты стоишь, сам за себя отвечаешь — и ты должен быть в полном порядке. В оркестре, если кто-то себя плохо чувствует, он сидит, он может не так уж замечательно сегодня играть, не с полной отдачей, в общем большой разницы не будет. У тебя другое. После обеда желательно час спать или отдыхать. Каждый день! Это восстанавливает силы и нервную систему. Второе — никаких взяток и подарков в Госконцерт по возвращении.

Не скрою, считалось, что весь Госконцерт на этом стоит. Артисты ездят именно те, кто привозит подарки. Может быть, с кем-то так и было, но не со всеми же.

Возвращаясь к своей первой поездке, скажу, что я все-таки привез сувенир, по-моему конфеты. И, стесняясь, не решался вручить их референту по ФРГ. Они лежали у меня в пакете, она со мной разговаривала и все время поглядывала — что там у меня в сумке. Спрашивала, как прошли гастроли, и все заглядывала в пакет. Наконец я решился:

— Вот конфеты, но это же не взятка.

Она так разочарованно сказала:

— Конечно, конечно. Не взятка.

И тут же взяла. А сейчас, забегая далеко вперед, вспомню, как я оказался с одной моей хорошей приятельницей из Министерства культуры в Госконцерте. Мне там ничего нужно не было, я просто с ней вошел. Прошел по длинному коридору в конец — там можно было курить, а через три минуты мы уже оттуда выходили. Когда садились в машину, она сказала:

— Знаешь, я сейчас испытала замечательное чувство. Начальник отдела, к которой я пришла, говорит мне: «Вон вслед за тобой прошел человек, который точно так же, как и Гидон, ездит на гастроли, потому что его приглашают, а не потому, что он привозит подарки».

Много лет прошло с того случая, а вспоминать до сих пор приятно.

Другие советы Гидона я тоже выполнил. Действительно обедал каждый день в ресторане и отдыхал. И так до сих пор на всех гастролях. Единственное, что из гидоновских советов я не исполнил, касается фрака. Я играл в том черном костюме, в котором выступал и на конкурсе. Этот костюм заказывала в ателье для меня мама.

Так вот, записали мы тогда фортепианный квинтет Альфреда Шнитке и фортепианный квартет Малера. Но пластинку эту мир тогда не увидел, поскольку через год или около того, довольно быстро после записи, Гидон уехал на Запад. Пластинка была запрещена. Имя его — тоже. Надолго.

Работал он там очень успешно. Но пришло время... Словом, я стал проводником идеи его возвращения в Советский Союз. Мы все это с ним секретно обсуждали, я привозил письмо от Гидона, ходил на прием к министру культуры, сам уговаривал его...

«А зачем вам это нужно?» — спросил меня министр. Я сказал: «Это не мне нужно, это нужно Москве и Большому залу консерватории».

Первый же его концерт в Москве мы дали вместе. Причем интересно, что, когда это письмо прокрутилось по всем инстанциям, и министр посоветовался с правительством, и уже была принципиальная положительная подпись, выяснилось, что нет Большого зала, нет никакого зала, негде играть — и все. Но я оказался предусмотрительным и давно взял под себя два числа как раз на это время. И сказал министру: «Я с радостью отдаю свое число, свой зал Гидону». Им уже некуда было деваться.

Это было огромное событие. Вообще удивительно у меня в жизни получается: я был тот, кто прово-

143

жал Ростроповича с его последним концертом перед отъездом и устраивал первый концерт Гидона по его возвращении...

«ОН НАСТОЛЬКО ВНЕ, ЧТО УЖЕ ВНУТРИ»

Гидон Кремер — это явление. Он феноменальный виртуоз. Это постоянно, с бешеной скоростью развивающаяся личность. Он обладает особенным музыкальным мышлением. Совершенно неподражаемым. У него свой репертуар, причем огромный, огромный репертуар. Он лауреат премии имени Шостаковича, и когда я искал первого лауреата этой премии, то выбрал именно Гидона. Дело не в том, что он достоин премии — что тут доказывать, это бесспорно. Он выбран в качестве планки, чтобы каждый следующий лауреат выбирался с оглядкой на заявленную высоту.

Теперь он тоже увлекся камерным музицированием, создал из музыкантов его родной Латвии, Эстонии и Литвы свой камерный оркестр «Кремерата Балтика». Я их слушал. Замечательно то, что, когда они играют, я слышу самого Гидона. Я понимаю, что он их художественный руководитель.

Он очень открыт новым явлениям, новым сочинениям. Он постоянно в поиске. Один из примеров — это, конечно, музыка Астора Пьяццоллы, принесшая ему очередной огромный успех. Именно «живая» современная музыка стала основной в его концертных программах. Кремер выбрал миссионерскую роль и стал приучать публику по всему свету к мысли, что «сладкоголосье не единственное состояние скрипки».

Лет десять назад мне попалась статья о Гидоне с потрясающе точным заголовком: «Он настолько вне, что уже внутри». Невозможно забыть. Как невозможно забыть ту, самую первую совместную работу над квинтетом Альфреда Шнитке.

«НА ТРОИХ»

В советские времена было принято композиторов «выставлять». Они приглашали своих исполнителей в ресторан и праздновали премьеру. Происходило это чаще всего в ресторане Союза композиторов. И Альфред Гарриевич Шнитке после исполнения фортепианного квинтета тоже позвал нас отпраздновать премьеру. Благодаря этому приглашению и Гидону, который предложил мне вместе исполнить и записать это произведение, я познакомился с гениальным композитором. Альфред на этом ужине подарил мне партитуру квинтета с надписью. И тогда я ему сказал, что очень нуждаюсь в большом произведении для альта с симфоническим оркестром. Так что если бы не было этой встречи, то не было бы, наверное, и альтового концерта, теперь знаменитого и популярного.

Правда, от обещания до исполнения прошло целых девять лет, но все-таки это произошло! Затем он написал еще одно произведение, тоже с посвящением мне, для фестиваля в Роландсеке, в Германии. Это «Монолог» — для альта и струнных. И не менее известный «Концерт на троих» для скрипки, альта и виолончели с оркестром, где он объединил в одном произведении трех музыкантов, которые наиболее часто исполняли его музыку на протяжении всей жизни:

Гидона, который познакомил меня со Шнитке, меня, который познакомил Ростроповича со Шнитке, и самого Ростроповича.

Правда, я не очень уверен в последнем. Может быть, Ростропович и Шнитке когда-то и были знакомы лично. На предыдущих страницах я рассказывал, как стал связующим звеном между ними и появился в результате Второй концерт для виолончели, написанный для Ростроповича. И есть еще опера «Жизнь с идиотом» и Шестая симфония, которыми Ростропович дирижировал.

Конечно, автор практически всегда пишет с расчетом на конкретного исполнителя. Альфред, например, всегда мне говорил, что «я вижу, я просто вижу исполнителя, я слышу его звучание. Вот я тебя слышу, твой звук, я слышу, что здесь будет происходить...».

А что касается «На троих», я помню еще один случай. На других троих. И тоже Альфред Шнитке, и тоже Гидон Кремер.

Так вот, знаменитый Кончерто Гроссо № 1 для двух скрипок с оркестром он написал и посвятил Татьяне Гринденко, Гидону Кремеру и Саулюсу Сондецкису, который был дирижером Литовского камерного оркестра. Но весь фокус в том, что эти два изумительных скрипача, совершенно разные, воспитанники двух противоположных школ Московской консерватории, были мужем и женой.

Кремер учился у Давида Федоровича Ойстраха, а Гринденко у Юрия Исаевича Янкелевича. Это были две самые яркие школы того времени, а может быть, не только того. И естественно, воспитанники получились тоже невероятно яркими личностями. Иногда они ссорились и никогда не упускали случая подшутить друг над другом.

146

Помню, Таня устроила один такой розыгрыш. Я разговаривал с Гидоном во дворе консерватории, а она была за рулем «Волги», по-моему, еще 21-й. Гидон, стоя к машине спиной, все время пытался на ощупь открыть дверь, потому что должен был уже садиться, а в разговоре все не мог поставить точку. А я стоял лицом к машине и видел, как в тот момент, когда Гидон уже дотрагивался до ручки, машина вдруг откатывалась сантиметров на десять, и он не понимал, почему опять нет ручки, и продолжал со мной разговаривать. И так раз пять. Мы прошли метра три вместе с ним...

Жили они с Татьяной очень весело, интересно, и замечательно, что у них и сейчас чудные отношения: музицируют вместе. В Кончерто Гроссо есть непосредственно списанные с них сцены, даже ссоры. Альфред сам мне об этом рассказывал. Поэтому как бы гениально ни играли это произведение потом, самое верное исполнение было у них.

Но так происходило и происходит не только со Шнитке. Вот замечательный композитор Гия Канчели и для меня пишет, и для Гидона, тем самым нас объединяя. Кстати, может быть, имело бы смысл обратиться к нему с предложением сочинить произведение для скрипки и альта с оркестром?

ЭТО БЫЛА «ДРУГАЯ МУЗЫКА»

Между государством и музыкантами в советское время шла длинная, изнуряющая «холодная война». Конечно, Гидон никогда не сталкивался со Сталиным и Брежневым подобно Рихтеру и Ростроповичу —

советская система уже умирала, когда он создавал себе имя, и все же «опека» властей была весьма чувствительной. И не только для него.

...В феврале 1974 года я был на третьем курсе, когда в Горьком состоялась премьера Первой симфонии Альфреда Шнитке под управлением Геннадия Рождественского.

Через два года партитуру сыграл Эри Клас в Таллине. Москва ждала исполнения целых двенадцать лет. Правда, она удостоилась прослушивания (в записи) на заседании секретариата Правления Союза композиторов СССР. Автора вызвали на ковер и высекли — разнесли в пух и прах. Ничего удивительного — это была «другая музыка».

Всю жизнь Шнитке разрушал границы жанров, свободно впуская в свои сочинения квазицитаты из сочинений великих предшественников, и потому местопребывание его последних лет не стоит объяснять желанием вырваться за государственные границы... Шнитке их не чувствовал даже тогда, когда был невыездным.

Любой музыкальный стиль — от Моцарта до техно и от церковного пения до поп-музыки — был для него просто звучащим черепком. И из их нагромождения, из кажущегося музыкального хаоса Шнитке умел создавать истории — одна из самых характерных выписана нотами в его альтовом концерте.

Мы с Альфредом Гарриевичем очень симпатизировали друг другу, он посвящал мне свои сочинения для альта, но близкой дружбы не было. Не совпало что-то по времени и по возрасту. Может быть, и по темпераменту. Хотя Альфред был очень интересен в общении. Он был центром притяжения, ядром, к которому стремились другие.

148

Я уже рассказывал, как после исполнения фортепианного квинтета попросил Шнитке сочинить что-нибудь для альта, и он взялся за работу лет через девять. Помните, мне позвонила его жена со словами: «Сел сочинять». И я понял — пошло. Впоследствии он спрашивал в письмах, возможны ли технически те или иные куски для исполнения, он ведь никогда раньше не сочинял для солирующего альта. Однако с моими предложениями обращался весьма свободно. Теперь-то я понимаю, почему его музыка такая подлинная и живая. Его музыкальные идеи были настолько мощными, а чувства — глубокими, что мелкие технические соображения в общем роли не играли. С другой стороны, это музыка, где каждая нота приобретает особое значение.

В середине концерта есть очень прозрачная и красивая музыка, которую многие воспринимают просто как шлягер — ну, или еще что-то очень легкое и приятное. Когда я три вечера подряд впервые исполнял этот концерт в Амстердаме, Альфред не смог приехать по болезни, и я привез ему в Москву три пленки с записями этих исполнений одного и того же сочинения. Мы встретились и прослушали каждую пленку по три раза — то есть в один вечер слушали его Концерт для альта с оркестром девять раз. Только третьим исполнением он остался по-настоящему доволен, и, когда мы дошли до этой знаменитой средней части, он повалился на пол, стал смеяться, с ним сделалась почти истерика от смеха — он всегда очень бурно на все реагировал, обожал анекдоты и парадоксы. На этой записи я играл чуть иначе, чем в другие два вечера, — нарочно преувеличил его иронический романтизм и так называемую красоту. Он сказал: «Да-да, именно так и надо — должно быть так красиво, чтобы во рту становилось сладко, а потом чтобы даже приторно и противно — и тогда все это оборвется как раз вовремя!..» И ведь в конце концерта он опять напоминает эту сладкую тему. Но очень коротко и с измененной гармонией. И там одно только воспоминание о той «красоте» приводит к полному обвалу — все рассыпается, и музыка уходит в пустоту... Так что красота действительно иногда страшная сила, хотя до Шнитке никто так резко не сталкивал ее с безобразным и страшным. Получились совершенно новый язык и новая музыка. Уникальная и всем понятная — в России, Германии, Японии.

«Мне, — говорил Шнитке, — не только для того, чтобы я мог сочинять музыку, но и для того, чтобы я мог существовать, нужно исходить из идеи, что духовный мир упорядочен, структурирован от природы и в нем есть свои формулы и законы. Все, что порождает дисгармонию, все чудовищное, необъяснимое и страшное, чего не мог понять Иван Карамазов, — все это тоже входит в существующий миропорядок. И формула мировой гармонии, вероятнее всего, связана не с нейтрализацией зла, а с тем, что, вовлеченное в стройную картину целого, даже зло меняется: в какой-то комплиментарной взаимозависимости негативные элементы погашают друг друга, и в итоге возникает нечто стройное и прекрасное».

Шекспировский трагизм музыки Шнитке носит у него отнюдь не умозрительный характер. Все умные рассуждения о «полистилистике» его музыки — скорее пища для рассуждений музыковедов. Важно то, что, стараясь в своем творчестве добраться до сути человеческого бытия, он непосредственно через свою душу и сердце пропускал

150

столкновение полярных сил, его составляющих: любви и ненависти, правды и лжи, жизни и смерти. Недаром смерть в ее натуральном обличье приходила к Альфреду Шнитке с 1985-го по 1998 год четырежды — и он писал левой рукой ноты, даже когда уже не мог говорить.

ЧИТА-ГВРИТО, ЧИТА МАРГАРИТА

Вот уже много лет с Гией Канчели — замечательным грузинским композитором — меня связывает и человеческая дружба, и какие-то общие представления о музыкальных ценностях.

Он нашел свой, совершенно неподражаемый язык. У меня нет смелости и фантазии как-то определить его, я только могу сказать, что это и есть язык Гии Канчели. Та глубина, красота, скорбь, тот юмор грузинский, который лишь усиливает трагедию, — вот качества, которые, по-видимому, и составляют его неповторимость.

Мы знакомы давно. Мне повезло, потому что он написал для меня несколько сочинений. Началась дружба с работы над его литургией «Оплаканный ветром». Невероятной красоты музыка, невероятной глубины. Я часто слушаю это произведение и, несмотря на то что знаю его неплохо, поскольку сам там солирую на альте, забываюсь и погружаюсь в него снова, как в первый раз.

В Амстердаме, на премьере «Стикса» Гии Канчели, со мной приключилась чу́дная история. Незадолго до этого Гия позвонил: «Слушай, не могу коду придумать. Тебе посвящается. Помогай». Ну, как музыкант может помочь композитору? На репетициях в Амстердаме, которые проходили очень сложно, как всегда бывает, когда готовишь мировую премьеру, мне встретился режиссер документального фильма о Гии Канчели. Между нами сразу возникла антипатия — он с самого начала стал наезжать: вот вы, музыканты, в детстве в футбол не играли, реальной жизни не знаете. И я ему предложил на спор, на бутылку коньяка «Хеннесси», проехать на велосипеде задним ходом, сидя на руле. Я в своей львовской молодости столько выиграл пари, исполняя этот трюк, что в успехе был уверен полностью. Обычно при езде задом наперед все сразу падают. Но я знаю фокус, при котором поворачиваешь правильно. Он стал отговариваться: мол, если я упаду и сломаю руку, премьера сорвется. Договорились сразу после премьеры. За пять минут до выхода Гия приносит мне в артистическую три варианта окончания «Стикса». Мы решаем, какой из них исполнить сегодня, а в зале — весь Амстердам.

После премьеры, невероятно счастливый, я вышел с охапкой цветов на улицу и увидел серую физиономию этого режиссера. «Коньяк?» — спросил я. «Велосипед?» — спросил он. Голландия — велосипедная страна. Я бросаюсь к симпатичной девушке, вывозящей свой велосипед из парковочных прутьев: «Дайте мне велосипед на одну минуту! Все цветы — ваши! Мы только что концерт сыграли. У нас тут спор».

Он поставил коньяк, я поехал, с шиком развернулся, отдал велосипед. Так она и уехала с цветами, обалдевшая. А мы пошли праздновать в ресторан.

Что такое счастье? Подумалось — вот уже несколько лет я не мог прямо сказать себе: счастлив. А в тот вечер я был счастлив дважды: этим подарком — премьерой «Стикса» и не менее — тем, что проехал на велосипеде и выиграл спор. И я понял: счастье не имеет размеров. Я пребывал в потрясающем настроении. А наутро позвонил Гия из Антверпена: «Юра, я тридцать пять минут слушал эту ерунду, чтобы узнать, правильно ли мы с тобой решили коду. И вот вместо коды ты едешь задом на велосипеде!» Оказалось, этот режиссер записал на видеокамеру мой чемпионский проезд, стерев при этом последние такты концерта. Все как в грузинской короткометражке!

У Гии вся жизнь состоит из таких историй. Однажды он оказался со своей очаровательной женой Люлей в ресторане. Они ужинали, и он слышит: «Чита-гврито, чита Маргарита...» Он доволен. Его музыка к «Мимино». Через десять минут другая песня, потом опять «Чита-гврито...» Короче говоря, исполнена была эта песня, пока они ужинали, восемь раз. Гия Канчели — композитор серьезный, автор симфоний, крупных произведений, но на тот момент популярность музыки к «Мимино» перевешивала все. Гия был в хорошем настроении, они пили вино, смеялись, и он сказал Люле: «Представляешь, какая популярная песня? Значит, так. Сколько ресторанов в Тбилиси? А сколько ресторанов во всей Грузии, а сколько во всем Советском Союзе. Мы с тобой наконец богатые». Они чокнулись, и он быстрым шагом подошел к оркестру: «Скажите-ка, чью это вы песню восемь раз сегодня сыграли?» Солист говорит: «У нас бригадир саксофонист. Он записывает, у него спросите». Гия подошел к саксофонисту. «Как чью? — удивился саксофонист. — Насидзе, конечно».

Фокус в чем? В рапортичку они записывали фамилию автора слов, и отчисления шли по этой фамилии.

«Стикс», написанный к концу 1999 года, к концу века, — просто фантастический подарок. Должен чистосердечно признаться, я сразу решил, что сделаю все возможное, чтобы произведение прозвучало как можно быстрее. До 2000 года. Я хотел поделиться им с московскими любителями музыки, с Большим залом консерватории. И это получилось. Прекрасно был подготовлен хор консерватории под управлением Бориса Тевлина, очень ответственно отнесся оркестр, встретившись с таким изумительным дирижером, как Джансуг Кахидзе. В общем, все как-то удачно совпало.

Мне кажется, что на сегодняшний день Гия достиг какой-то опасной черты. Потому что если человек достигает такой гармонии, то ему дальше ничего не остается делать, как начинать где-то опять ее разрушать, чтобы снова творить и дальше фантазировать. Дело в том, что мастерство его, человеческий опыт, мелодический талант и такой бешеный сегодня взлет популярности (и на Западе тоже) — все сейчас в полном соответствии. Может быть, я немножко преувеличиваю, но думаю, что все ему удается с легкостью Моцарта и Пушкина.

В «Стиксе» много очень интересных находок. Например, когда альт в унисон с хором, но при этом флажолетами, «насвистывает» ту же красивую мелодию. Это что-то заоблачное, нигде раньше такого не слышал.

Образом Стикса, реки, разделяющей в греческой мифологии царство живых и царство мертвых, Гия дал ключ к ясному построению своего сочинения: хор поет о прошлом, обратившемся в незыблемую вечность, оркестр вторгается буйными звуками земного настоящего, а альт непрестанно поет голосом души о страдании и трепете живущего на неизбежном пересечении двух миров. В своей небольшой аннотации автор сообщил, что тексты, исполняемые хором, — это «молитвы, названия грузинских храмов и имена ушедших друзей, а затем монолог о времени из «Зимней сказки» Шекспира». В финале виброфон имитирует плеск воды, эхом от альта к оркестру проходит отзвук земного веселья (автоцитата песенки из кинофильма «Мимино»), и альт-душа в изнеможении затихает. Все завершается взрывом этой трехсторонней напряженной связи, за которым полное небытие.

По сути, это был заказ, его просили сочинить реквием. Но он не стал его так называть...

...Я ПОНЯЛ, ЧТО ЗАБОЛЕЛ ДИРИЖИРОВАНИЕМ

Однажды на фестиваль в городе Туре, во Франции, в последний момент не смог приехать один из моих самых близких друзей — тогда молодой, но уже известный дирижер Валерий Гергиев, и менеджер стал уговаривать меня провести концерт. До этого у меня и в мыслях не было вставать за дирижерский пульт. Я, естественно, отказывался. Но менеджер сумел убедить: исполнители, мол, молодые студенты, они тебя любят, ты им покажешь, научишь... Увидишь, все будет хорошо...

Через три дня у меня сольный концерт в Монпелье, другом французском городе, со Святославом Рихтером. Эти трое суток я репетировал как дирижер, потом улетел в Монпелье и вернулся. Рихтер поддержал: дескать, это дело — мое и я должен провести концерт, но не слишком увлекаться. Он сказал мне, что сам не стал дирижировать по той причине, что у него был бы недостаточно большой репертуар как у пианиста.

В общем, концерт прошел вполне успешно за счет энтузиазма молодых людей; их дебют и мой — в качестве дирижера — все состоялось.

Вернувшись в Москву, я понял, что заболел — заболел дирижированием.

Итак, я стал собирать свой камерный оркестр. Я понимал, что его очень трудно создать практически с нуля и поэтому принципами отбора должны служить высокий профессионализм музыкантов, а также опыт работы в данной области. Вскоре мне удалось объединить в один коллектив ведущих музыкантов различных камерных оркестров страны. Так к нам перешли первые скрипки Киевского камерного оркестра и оперного театра, один из руководителей Львовского камерного оркестра, концертмейстер группы альтистов Кировского театра (а знал я его еще по Львову).

С 1 сентября 1985 года стали готовить первую программу. На чистом энтузиазме, порой ночами, ведь все где-то работали. Мы были готовы к 12 мая 1986 года (в самый разгар чернобыльской трагедии), впервые выступили в Большом зале Московской консерватории в рамках фестиваля «Московские звезды». Я выдержал, так сказать, позицию: до этого момента не обращался ни в какие инстанции с просьбой создать коллектив. Была идея: показаться. И это было мудрое решение. После концерта (который неожиданно для нас имел огромный успех) я был приглашен в Министерство культуры и там услышал желанное: «А вы не хотели бы...» И все быстро и четко оформили.

Потом в Москве мы выступали регулярно. Затем — гастроли по стране, за рубежом. Везде, где только мог, я упрашивал своих менеджеров заменить мои сольные выступления на концерты моего камерного ансамбля.

Так мы просуществовали семь с половиной лет — в почти непрерывных гастролях, но оставаясь по-прежнему российским оркестром. Тем временем в семьях музыкантов настроение стало падать, начались проблемы материального плана. Ведь мы жили в период «перестройки», когда ни у кого не только денег не было, но, даже если они и были, купить на них было нечего. И вдруг появилась возможность уехать.

В этот момент я подписал контракт со знаменитой записывающей фирмой BMG. Я понял, что, если сам не займусь денежным вопросом, каждый оркестрант в отдельности будет решать его для себя и оркестр рассыплется. Многие в этот момент уезжали — кто куда мог. Лиана Исакадзе уже практически договорилась с Германией, с городом Ингольштадт, о судьбе своего Грузинского камерного оркестра. Володя Спиваков занимался вопросом выезда «Виртуозов». Словом, я тоже стал предпринимать кое-какие усилия.

Дело в том, что, если из симфонического оркестра уедет один или два, даже три скрипача, их можно заменить. А в камерном жанре исчезновение одного скрипача из группы первых скрипок и замена его другим, пусть не хуже, будет означать месяца три серьезной работы, чтобы восстановить звучание всего оркестра

Итак, у меня появилось несколько вариантов, но

157

в конце концов выбор пал на Монпелье, город, в который я улетал семь лет назад к Рихтеру. И я вывез свой оркестр во Францию.

Местные власти во главе с мэром-социалистом месье Фрешем построили в Монпелье замечательный концертный зал — по последнему слову техники, — и им нужен был камерный оркестр, по возможности самый хороший и известный.

Оркестранты выехали с мамами, детьми — и получилось восемьдесят с чем-то человек на круг, хотя в оркестре было всего двадцать. Средний возраст чуть выше сорока. Все довольны — теплая Франция, море, продукты питания есть, деньги тоже есть. Ну, счастье безмерное!

А в это время надо было по контракту записывать пластинку с музыкой Шуберта и Бетховена. Я с ними встретился за неделю до записи и пришел в ужас: проведя два месяца в Монпелье, они совершенно потеряли форму!.. Понятно, что люди обустраивались, происходила адаптация, но здесь-то надо было держать марку — от этого зависело все дальнейшее. Мы записались. Результат оказался хороший, но дался буквально кровью. Отклики музыкальных критиков были достаточно высоки, однако... Однако через полгода между нами произошло серьезное столкновение, и выяснилось, что мы стали совершенно разными, что у меня и музыкантов оказались различные цели.

Раньше музыканты жили в Москве, а я, возвращаясь с гастролей домой, репетировал с ними. Человек, много работающий там, в «райских кущах», имел в их глазах определенный авторитет. Теперь все поменялось. Теперь они сами почувствовали себя европейцами, и то, что я — человек из какой-то там Москвы — требовал от них нелимитированной отдачи в работе, их совершенно не устраивало. Понадобились невероятные усилия, чтобы снова расставить все по своим местам и работать, как того требовал уже завоеванный профессиональный авторитет. Дело осложняли и местные власти. Они тоже желали руководить, причем не считаясь с нашим менталитетом, нашими традициями.

В Кройте проводился первый фестиваль памяти Олега Кагана, где все выступали бесплатно, и оркестру, естественно, фестиваль тоже ничего не мог заплатить, не было средств. Вот этого не мог понять новый французский директор «Солистов Москвы — Монпелье». Он стучал кулаком, я отвечал соответственно. Он снова стучал кулаком, я тоже... Я ему просто сказал — ну, тогда и делай что хочешь. Разумеется, другими словами.

Это была последняя капля! На фестиваль памяти моего друга и изумительного музыканта, который, к сожалению, так рано ушел из жизни, я не мог поехать со своим оркестром. К сожалению, оркестранты поддержали нового директора. Я понял, что оркестр стал не моим, а французским и что новый жизненный уклад, ориентированный только на получение материальных благ, оказался превыше всего.

Я был просто потрясен. Мне казалось: как же так — ведь это люди, которые со мной выступали в Мюзикферайн, в Концертгебау, в Карнеги-холл, в лучших залах мира, познали славу, обласканы прессой! Я-то думал, что для музыканта это остается самым важным критерием, но... В общем, я понял, что многим совершенно неважно, где работать, в каком оркестре и где гастролировать. А лучше вообще не гастролировать, а просто сидеть на одном месте... Это был горький урок.

Наверное, в этом есть какая-то житейская мудрость, но мне она недоступна. Откуда тогда возьмется полет на сцене, и какой будет градус импровизации? Кончилось тем, что я был вынужден оставить оркестр сам. Я объявил, что на прежних условиях согласен продолжать работать, но никакие новые не принимаю. Я готов действовать так, как мы договаривались, и остаюсь верен данному слову. Если не можете или не хотите, значит, я с вами больше не работаю.

Так в декабре 1991 года я оказался в Москве, в Большом зале консерватории с тремя назначенными концертами в рамках фестиваля «Русская зима», но без оркестра. Надо было что-то делать. Ну, один концерт заменили на сольный, чему, похоже, публика была рада, поскольку я давно не играл сольные концерты в Большом зале. Затем на помощь со своим камерным оркестром пришел Александр Рудин, и мы сыграли программу, которая была объявлена. И Витя Третьяков помог. В общем, вышли из положения. Я тогда давал гневные интервью, почти политического характера: про оркестр, который остался за границей. И про себя, который остался без оркестра.

«ЮРОЧКА, ВЫ ИМ ОЧЕНЬ НУЖНЫ»

Это было тяжелое время. Дал себе слово, что никогда больше никакого собственного ансамбля создавать не буду. Хватит с меня. Достаточно быть солистом, альтистом — огромный репертуар, много новых произведений и никакой ответственности перед другими людьми!

160

Так жил дня три-четыре. Затем встретился с Ниной Львовной Дорлиак (она меня обожала, я ее тоже любил очень. В каком-то смысле она была мне как вторая мама), и она сказала: «Юрочка, вы знаете, сколько у нас талантливой молодежи, сколько талантливых студентов, молодых музыкантов. Сейчас тяжелое время, вы им очень нужны! По-моему, надо создать новый камерный оркестр».

Я ее послушался и очень благодарен за этот совет.

Через месяц после «развода» мы с моим учеником Ромой Балашовым, теперь он директор коллектива, начали составлять список, искать среди студентов лучших.

Еще один список, от администрации консерватории, подготовила декан Татьяна Алексеевна Гайдамович. Наконец, был еще третий список, который для меня готовили по секрету. 75 процентов совпало. По всем трем спискам.

Так был собран оркестр. Концертмейстера не было. Я сразу объявил, что мы уже в процессе решим, кто будет первой скрипкой, кто первым альтом, кто первой виолончелью. И действительно, довольно долго придерживались этого правила, потому что я хотел, чтобы, например, пятый скрипач играл с такой же активностью, как играет первый. Но это утопия, есть свои законы — пятый не может так играть, ничего из этого не получится. И тем не менее уметь лидировать он должен. В этом была идея.

Незабываемый первый день. Когда я вошел в зал и встал за пульт, они вдруг все, как один, синхронно встали, ну просто как в армии. Я был потрясен и смог только произнести: «Ну что, мне тогда сесть, что ли?»

И вот один из самых ответственных первых концертов в Париже в зале Плейель. Серия называлась «Prestige de la music». Абонемент состоял из шести концертов, и один из них был мой с «Солистами Москвы», запланированный в свое время, естественно, со старым составом. В это время еще шло и судебное разбирательство — за кем остается имя...

Меня поддержал мой ближайший друг Виктор Третьяков. Мы с ним должны были исполнять с молодыми солистами Концертную симфонию Моцарта. Буквально в последние три минуты куда-то исчезли ноты альтовой партии. Ноты, мои ноты исчезли! Я, конечно, знаю наизусть это произведение, но психологически это был шок. Кто-то решил, что это диверсия со стороны прежнего коллектива. Я так не думаю, однако ведь еще на репетиции ноты были, а на концерте их нет... Времени не остается купить или позвонить кому-то, чтобы привезли. Нашли партитуру, но в ней партия альта выписана в другой тональности. Мало того, она очень толстая, а значит, по ней невозможно играть — нет времени переворачивать страницы. Катастрофа! Все говорят, что я был абсолютно зеленого цвета. А Виктор Викторович от ужаса малинового. Он страшно за меня переживал. А можете себе представить, как чувствовал себя каждый из моих юных коллег.

Хотите знать, сколько из того объединенного списка осталось сегодня? Почти все. Несмотря на все сложности и даже драмы. Если кто уходил, то по личным мотивам. Как правило, из-за женщин. Из-за жены, например, которая заявляла: «Не поедешь со мной во Францию — разведемся». А он ее очень любил и выбрал семью. Бывает... Но у него не хватило духу предупредить нас, как принято, хотя бы за два месяца, чтобы мы успели подготовить и ввести замену.

Я вспоминаю первый концерт уже без него. Все ужасно нервничали на сцене...

Потом была еще одна утрата. Хороший парень уезжал в Америку (по тем же причинам) и плакал. И мы вместе с ним рыдали. Не хотел он уходить, никак не хотел. А мы держать его не имели права. И переживали. Что делать — это жизнь. Только не подумайте, что я, как старый моряк, не терплю женщин на борту. Раньше какие-то похожие неписаные правила были. Ни в «Виртуозах Москвы», ни в старом составе «Солистов Москвы», который потом был переименован в «Солистов Монпелье», — нигде не было женщин.

Витя Третьяков говорил мне тогда:

— Почему у тебя нет ни одной женщины в оркестре?

— Так сложилось. Потому что мы их любим и жалеем. Поездки. Чемоданы...

— Тут ты не прав, звук другой. Теплее звук становится в оркестре.

Первой в «Солистах Москвы» появилась изумительная Ниночка Мачарадзе. Моя любимая ученица — ЦМШ, потом консерватория, аспирантура — со мной всю жизнь. Ниночка довольно долго была единственной девушкой в ансамбле. Потом пришли и другие. А сегодня даже первая скрипка, наш лидер, — талантливая скрипачка, очаровательная Елена Ревич. Она с детства одержима музыкой и скрипкой.

Ее яркая эмоциональная игра вносит особый колорит в звучании оркестра.

Есть такое выражение: человек рождается для любви. Я могу сказать, что люблю каждого в ансамбле. И при словах — «Солисты Москвы» — передо мной возникает не ансамбль, а лица. Каждое в отдельности и все вместе.

Мы никогда не говорим между собой громких слов о счастье совместного музицирования, просто обсуждаем удачи и неудачи. Но есть внутри нас счастливое ощущение факта рождения совместной творческой идеи и цели. Цель — это любовь. А вдохновение на сцене равно предчувствию любви.

Довольно часто, особенно в последнее время, в связи с 10-летием ансамбля, меня спрашивают: в чем, собственно, секрет «Солистов Москвы», что нового я им дал? Всякий раз я в затруднении. Искренне. Без кокетства. И всякий раз отвечаю примерно так: не надо забывать о самом главном. Эти музыканты — выпускники лучшей школы в мире, Московской консерватории. Все они прекрасно обучены и талантливы. Они мне дали молодость. А я... В общем, думаю, дал им успех. Они поняли, что такое радость творчества, да еще подкрепленная восторгами публики — российской, японской, американской, французской, итальянской. Я иногда слушаю, как они играют без меня, в ансамбле или соло, — и радуюсь...

Словом, мы живы и процветаем. У нас постоянно расширяется репертуар и география наших гастролей. Самое главное — не только появиться наконец там, где не был, в каком-нибудь мировом культурном центре. Главное, чтобы потом тебя умоляли приехать снова.

164

ИЗ ГАСТРОЛЬНЫХ ВПЕЧАТЛЕНИЙ

ПРИНЦЕССА ДИАНА

Все произошло неожиданно. 1988 год. Я репетировал с оркестром в филармонии, когда за мной приехал мой администратор Игорь Чистяков с фраком и альтом. И сказал, что я должен срочно лететь в Лондон. Я удивился. Оказалось, что мой английский менеджер Ван Валсум решил организовать концерт памяти жертв землетрясения в Армении, которое произошло несколькими днями раньше. Менеджеры Англии объединились в связи с этой акцией, он стал президентом ассоциации, и в один день все было решено. Пригласили Ростроповича и множество интересных музыкантов.

Я играл вторую часть «Концертанте» Моцарта с талантливым китайским скрипачом — Чо Лианг Линем. Концерт транслировали по телевидению и параллельно показывали интервью знаменитых музыкантов масштаба Айзека Стерна и Клаудио Абадо. Тут же собирались средства от концерта, продажи дисков и пожертвования.

Патронировали концерт принц Чарльз и принцесса Диана. После концерта состоялся прием, народу — уйма! Мы со Славой появились в зале, когда уже шел банкет, и, конечно, хорошо его отметили. Как известно, двоих на бутылку водки мало, и третьим был у нас... принц Чарльз. Слава уже был с ним дружен и даже дал ему несколько уроков на виолончели, а я лично общался первый раз. Принцессы не было. Пили-кутили довольно много. Потом вдруг появился наш посол Замятин. Он очень образованный человек, профессионал, настоящий дипломат. Тогда редко были на этих местах такие люди — больше выдвиженцы по линии партии. А он говорил на многих языках, имел прекрасные манеры. И вот он стоит, и весь дип-корпус — помощники, атташе, их жены. Все стоят рядом, и Замятин вдруг обращается к Славе (а Слава еще был опальным, но уже вроде бы наметился небольшой просвет):

— Мстислав Леопольдович, спасибо, что вы приехали.

На что Слава повернулся к Гале, стоявшей неподалеку, и сказал:

— По-моему, он офигел. Это он приехал, а я играл.

Посол отреагировал феноменально. Просто никак. На лице ничего не отразилось, он продолжал смотреть доброжелательно, а члены дипкорпуса опустили головы.

Тут вдруг кто-то подошел ко мне и шепнул, что сейчас придет принцесса и имей в виду: когда будут тебя ей представлять, не целуй руку — это не положено по этикету. Я удивился: с детства думал, что как раз нужны всякие реверансы, как в сказках перед королями и принцессами.

И тут появился, весь красный, мой менеджер под руку с принцессой Дианой, и минут пять они двигались в моем направлении, останавливаясь и разговаривая с другими артистами. Когда они наконец оказались совсем близко от меня, я совершенно обомлел: у нее была какая-то аура невероятная. Нельзя сказать, что Диана была первой красавицей мира, но то, что это была фантастическая женщина, — безусловно. Она излучала силу и свет. И я, что нечасто со мной бывает, почувствовал себя скованно. Принцесса поздравила меня и поблагодарила за участие в концерте.

Я стою как вкопанный и смотрю на нее. Молча. Пауза. Она видит, что я никак не реагирую, смотрю на нее как остолоп, и добавляет:

166

— Когда вы играли соло, я особенно сильно почувствовала всю трагедию несчастных пострадавших и их близких, и я плакала, вы тронули мою душу. Большое вам спасибо.

Тут я осмелился и произнес:

— Благодарю, Ваше высочество, Вы очень добры, и коль скоро я удостоился такого исключительного внимания, могу попросить Вас еще об одном исключении?

Она чуть-чуть покраснела и выжидательно посмотрела на меня.

— Разрешите мне поцеловать Вашу руку.

Принцесса отвечает:

— Of course, — и протягивает руку.

Скандал. Все фоторепортеры, все, кто там были, тут же стали щелкать, щелкать, щелкать. Потом я пытался достать эти фотографии, но они, видимо, были уничтожены спецслужбами. Думал, когда-нибудь дети покажут внукам. Жаль, не придется.

Через несколько лет после этой встречи я был назначен президентом конкурса альтистов имени сэра Лайонела Тертиса — это не должность, а своего рода титул, навсегда данный королевской семьей. Я так понимаю, что здесь не обошлось без участия принцессы Дианы. Я бывал в Лондоне несколько раз, оказывался на приемах, где была и она, но не хотел казаться назойливым и сам к ней не подходил. Иногда мы встречались взглядами, и легкий кивок с ее стороны означал, что она меня помнит...

ИСПАНИЯ. КАНАРЫ. КВАРТЕТ БОРОДИНА

Эту историю нужно начать издалека. С Мити Шебалина, моего замечательного друга и альтиста из Квартета Бородина.

Именно с Митей мы отпраздновали мое первое лауреатство после конкурса в Будапеште. Пошли в ресторан Союза композиторов. Денег с собой не было, но у него имелся там «кредит». Мы сидели, праздновали, и всем, кто входил, он говорил:

— Это лучший альтист. В соло лучше, чем я, а в квартете я пока еще лучше.

Мы праздновали по-настоящему. Потом он заставил меня сесть в жутко пьяном виде за руль его вишневого «мерседеса», у которого была сломана коробка передач и ручка застряла на второй скорости. То, что я приехал куда надо, на Малую Зосимовскую, — это просто чудо. Митя буквально на руках втащил меня в дом и бросил в постель. Вот так я отпраздновал первую премию.

Там, в ресторане, я познакомился с очень интересными людьми: композиторами Микаэлом Таривердиевым и Кареном Хачатуряном. Потом Митя пригласил меня на дачу, и я впервые побывал на Николиной Горе.

А потом Митя стал невыездным. Для того чтобы отбить его, у квартета появилась идея — ни в коем случае не останавливать гастрольный ход, ведь, если весь квартет «положат под сукно», «высвобождать» Митю станет еще сложнее. В общем, нужен был кто-то, кто мог бы заменить его. К счастью, у меня было тогда свободное время, и, когда предложили мне, я сказал, что мысль интересная, но надо всем вместе встретиться и все обсудить. И главное — чтоб я услышал об этом от самого Мити.

Когда я пришел в филармонию, было три члена квартета, не было лишь Мити. Они подтвердили, что Митя «за» и сам скажет мне об этом. Я согласился.

— Для меня это большая честь — играть с вами.

168

Но нам придется порепетировать, потому что я эти произведения не играл.

Программа была очень маленькая, но сложная — Пятнадцатый квартет Бетховена и Пятнадцатый квартет Шостаковича. Всего — шесть концертов.

Митя передал мне на Николиной Горе ноты, свою партию. Я его переспросил:

— Митя, ты правда тоже видишь в этом смысл? Ты согласен?

Он ответил — да, но слеза была.

Я-то твердо знал: это лишь эпизод, по многим причинам — и человеческим, и профессиональным, я не собираюсь играть в квартете, даже если это Квартет Бородина. У меня была абсолютно ясная установка — сольная деятельность, и все.

Гастроли на Канарах принесли мне огромную пользу и массу удовольствия, прошли замечательно. А потом был прощальный ужин. Мы сидели в прекрасном ресторане с большими окнами-витринами, с аквариумом, где живет двухметровая черепаха Маша, ей двести лет. Постучишь в окно, она станцует перед тобой. Ресторан был ниже уровня моря. Одно окно выходило прямо в море, другое — в аквариум, и всякие чудища проплывали в пяти сантиметрах. На рояле играл сухой, педантичный, отменно стильный англичанин с бабочкой. Пианист высочайшего класса. Людей много, потрясающая еда. Он играл, а мы пили. В конце концов, когда уже хорошо выпили, Валя Берлинский мне говорит:

— Слушай, он же «Катюшу» играет, он уже понял, что мы русские, а не слабо тебе сыграть?

— Вряд ли я смогу сейчас что-то извлечь из этого инструмента.

— Ну давай, давай!

Я подошел к англичанину и подыграл ему сверху

правой рукой. Он интеллигентно так встал и показал мне на стул: мол, хотите — пожалуйста. Я сел, стал наигрывать. Спросил — откуда он? Из Англии. Думаю, надо что-нибудь английское, он же играл «Катюшу» и «Подмосковные вечера». «Битлз» пусть будут, и сыграл «Yesterday». Сорвал аплодисменты публики, поиграл еще минут десять, и тут подходит хозяин, толстый такой дядя, и говорит:

— Беру тебя на работу.

Я отвечаю:

— Не могу. Занят.

— Ты не понял, я беру тебя на работу, ты лучше его играешь.

Тот побледнел. Я говорю:

— Да нет, я не могу, я правда занят. Предложение ваше принять не могу.

— Ты не понимаешь, я тебе буду платить в два раза больше.

Пианист уже совсем побелел. Когда я снова отказался, хозяин говорит ему:

— Ты не имел права давать инструмент другому, и я вычту из твоей зарплаты это время, которое ты не играл.

Тут уж я по-мальчишески выступил:

— Хорошо, но музыка была, и зал был доволен, деньги все равно нужно платить, заплатите их мне, а я отдам их пианисту.

Тот стал совсем сизого цвета, начал что-то кричать, в это время подошла принимающая нас девушка. Оказалось, она была дочерью «электрического короля» на этом острове и сказала что-то типа:

— Мужик, мы завтра электричество тебе выключим.

В общем, он потом извинялся, и все кончилось благополучно.

Играть с «бородинцами» было, конечно, интересно, но оставаться с ними и дальше я не собирался. Ведь я их всего лишь выручил. А на верхах посчитали так: квартет в порядке, ездит на гастроли, есть альтист. Проблема снята. Так решили все, включая и первого замминистра по фамилии Барабаш. Тогда мне пришлось подключить Нину Львовну Дорлиак, которая на приеме у Барабаша сказала, что Юрочка спасал Квартет Бородина, он — солист и никогда не будет работать в квартете, занимайтесь Шебалиным. После чего Митя был «открыт» и квартет ездил дальше своим прежним составом.

ДОРОГА В ЯПОНИЮ

Первый заместитель директора Госконцерта Иван Иванович Елисеев (умнейший человек, бывший генерал-полковник КГБ, он отвечал за внешние связи артистов) уговаривал меня ехать на гастроли с «Виртуозами Москвы» в Германию. Разговор был один на один. Он уламывал меня ехать, а я принципиально отказывался, пытался объяснить, что не вижу себя работающим в оркестре. Я вижу себя солистом. Он долго слушал и словно не понимал. Он был одноглазый и всегда разговаривал, не глядя в лицо собеседнику. Наконец вдруг резко поднимает свой единственный глаз и говорит:

— А скажи мне откровенно, как мужик мужику, что, для тебя не престижно поехать на гастроли с «Виртуозами Москвы»?

Я только выразительно посмотрел и сказал:

— Иван Иванович, вот если бы ваша жена переспала с Брежневым, престижно было бы?

Пауза... А потом:

— Ну ладно. Я тебя лично прошу — поезжай, а я тебе это отработаю. По сольной линии в Госконцерте.

Я, окрыленный, ушел из Госконцерта и поехал на эти гастроли в Германию. Там, в Мюнхене, встретился с Гидоном Кремером, уже эмигрантом, и мы с ним всю ночь проговорили у него дома, в гостиницу пришел только под утро. Тут так и напрашивается сказать: стукачи, мол, не дремали, но, к счастью, все было ровно наоборот.

Когда я вернулся от Гидона, стукач, который ездил с нами, просто спал в кресле в фойе отеля. Самое смешное было дальше: поскольку я-то всю ночь не спал, то, не собрав вещи, свалился в постель; думал — посплю полчаса, а потом соберусь и поеду. Но меня не смогли разбудить по телефону. Естественно, первая реакция — сбежал! Автобус стоит, прославленные «Виртуозы», Володя Спиваков, сопровождающие — Елисеев, Андриянко, еще два человека — все сидят в автобусе и видят, что только одного нет — меня. Звонят — не отвечаю. Нашли Мунтяна. Он сказал:

— Да спит, наверное, разбудите его.

Тут же появилось несколько человек, которые хотели оказаться первыми. Побежали наверх вместе с портье, который взял запасной ключ. И когда они открыли дверь и вошли, то увидели, что я сплю, уткнувшись ухом в орущее радио. Портье подумал, что я умер... Меня разбудили, собрали... Когда я вошел в автобус, все злились. С одной стороны — не сбежал, с другой — жуткое разочарование и наказать не за что. Вот так я выполнил просьбу Елисеева, а дальше было все совсем неожиданно.

Прошло несколько месяцев. И — никакой отдачи. Я пришел в Госконцерт без приглашения, просто по каким-то своим делам. И вдруг мы сталкиваемся с Елисеевым. У него сидела японская делегация, и он просто вышел в коридор. Увидел меня:

— О, гениально! Можешь ко мне зайти?

Я захожу, сидят три японца. Он им начинает говорить:

— Это наша молодая звезда, солист, мы очень его рекомендуем.

Это был единственный случай в моей жизни, когда Госконцерт что-то предлагал, обычно — наоборот: не пущал. Так вот, Елисеев этим японцам что-то говорит, они: «О-о-о! Солист!» — и что-то записывают. Полчаса все это длится. Наконец он говорит мне:

— Все. Ты свободен. В Японию поедешь.

Прошло несколько лет, никакой Японии, конечно, не было. Как-то я играю в Гранж-де-Миле (рядом с Туром, во Франции) с Рихтером. Туда же должны были приехать Олег Каган и Наташа Гутман, но их не выпустили. И мы, кроме официального, еще сыграли сольный концерт. После концерта ужинаем с Рихтером в китайском ресторане. Рядом сидят какие-то японцы, и вдруг один из них предлагает тост за открытие и говорит: «Больше всего я люблю неожиданные подарки. Несколько лет назад я был на переговорах у Елисеева, замдиректора Госконцерта, который активно впихивал нам, «Джапан артс», какого-то молодого музыканта. Естественно, все, что предлагает Госконцерт, не стоит внимания, поэтому мы для приличия согласились, но про себя решили, что никогда этого артиста приглашать не будем. Сегодня был концерт, после которого я понял, что был не прав, я прошу прощения и приглашаю вас, если вы еще согласны. Вы — наш артист, и я хочу поработать с вами».

После этого Япония для меня стала страной, где в творческом смысле для меня не существовало границ и барьеров.

«Ю-Ю-ЮРИЙ!»

Это был мой тринадцатый и первый в третьем тысячелетии мощный заезд в Японию. Он был весьма необычен, так как носил название «Фестиваль Юрия Башмета» и состоял из восьми концертов с «Солистами Москвы», трех — с симфоническими оркестрами и одним сольным — с моим постоянным партнером Мишей Мунтяном.

Эта страна покоряет каждый раз тем, что залы полны в любой провинции. И сами залы изумительны, потрясающая акустика. Там даже есть «Клуб любителей Юрия Башмета». Они постоянно шлют мне письма. Иногда очень смешные. Например, есть такая Теруми, которая ездит за мной по всей стране и приходит на концерты с цветами.

Благодаря любви ко мне как к артисту, она стала учить русский язык, а я — собирать ее записки из букетов. Там есть просто шедевры. Например: «Любимый Юра-сан! Меня волнует Ваша музька». Она пропустила одну палочку, и вместе «музыка» получилась «музька».

Но все это не главное. Эта тринадцатая поездка в Японию принесла мне два настоящих потрясения. Первое — концерт Лондонского симфонического оркестра. Дирижировал Ростропович. Я его очень люблю уже много лет, так сказать с детства. И был очень рад, что появилась такая возможность — послушать, как он управляет оркестром. Я с ним много выступаю в концертах, но оказаться в зале в качестве

174

слушателя... Это была великая интерпретация русской музыки: сюиты из балета «Щелкунчик» Чайковского и Пятая симфония Шостаковича.

Зал стоя приветствовал присутствовавших там императора и императрицу. Мстислав Леопольдович тоже. А когда императрица встала и помахала залу рукой, я почему-то вспомнил наши брежневские времена. Помните: речь Брежнева, затем продолжительные аплодисменты, бурные овации.

И вот я увидел этот зал и подумал: надо же, оказывается, весь мир болен чем-то таким, ну и ладно. Я-то ее лично не знаю... А через пять дней брат императора посетил мой концерт. Мы с ним пообщались — он прекрасно говорит по-английски и очень веселый человек. Меня предупредили: единственное, чего не нужно делать, — протягивать ему руку, здороваться. Так по этикету. Но когда меня ввели в его комнату, первое, что он сделал, — протянул руку.

Мы мило побеседовали и расстались. Затем я получил официальное приглашение в императорский дворец с просьбой — приехать с инструментом. Я приехал рано утром, не выспался. Меня встретила какая-то приветливая женщина, усадила в приемной, угостила сигаретами, которые только во дворце можно получить. Невероятно ароматные какие-то сигареты. А затем вошла императрица. Ей, по-моему, сейчас 64 года, и я должен сказать, что совершенно влюбился в эту женщину. Она чрезвычайно обаятельна и остроумна. И эта встреча была моим вторым сильным потрясением на японской земле.

Потом был очень интересный обед, она рассказывала про каждое блюдо — что это такое. «Вот сейчас весна — появилось это. Теперь вот этот цветок. Его можно использовать так».

Все это она мне поясняла, показывала, а потом, после обеда, сказала:

— У меня к вам огромная просьба. Вы знаете, я играю на арфе и на рояле, и мне очень хочется сыграть с вами. Это для меня большая честь, и я буду очень вам благодарна. Можно я вас буду называть Ю-ю-юрий?

И я ей ответил:

— Теперь я буду просить всех своих знакомых, особенно женщин, произносить мое имя именно так.

Она улыбнулась:

— Я бы хотела исполнить «Лебедя» Сен-Санса.

Я (несколько растерянно):

— Но это ведь для виолончели, у меня нет нот.

— А я попросила сына, он ведь у меня альтист, и он мне передал ноты. Вот они.

И ставит ноты на пульт.

Мы начали играть, и я забыл, что передо мной императрица. Она замечательно играет на рояле. Затем мы сидели, пили чай, потом она подарила мне две книги. Одна семейная, с фотографиями: она сидит у рояля, младшая дочь подыгрывает ей, император играет на виолончели, сын на альте, а другая дочь — на арфе.

Императрица очень красивая, изысканная женщина. Она из простой, хоть и богатой семьи. Сначала народ не принял ее как возможную жену императора, и она долго отказывала ему. Все-таки император добился своего, они поженились. Сегодня народ ее обожает. Я вспомнил, как ее приветствовали на концерте Ростроповича, и подумал — да, я тогда ошибся. Конечно, это был не формальный прием, а проявление искреннего восхищения и любви к этой женщине.

Японцы очень верные люди. У них очень высоки понятия чести и ответственности за свои поступки, и они неустанно стремятся к совершенству во всем. Их любимые композиторы — Моцарт и Чайковский. Эта музыка звучит в лифтах, в супермаркетах, в больших магазинах. И еще очень любят своего композитора Тору Такемицу, который, к сожалению, скончался недавно. Мы тоже знаем его музыку по некоторым фильмам Акиры Куросавы.... и не знаем совсем.

Его музыка очень красочная, созерцательная, немного напоминает Дебюсси. Я с ним очень дружил. Тору начал писать для меня большой альтовый концерт и скончался неожиданно, так что я не получил от него этот подарок. К великому сожалению.

А еще мне показалось, что японцы любят русского человека, вообще Россию. Почему? Не знаю.

Про Японию я могу рассказывать бесконечно.

Вот, например, в прошлый свой приезд в магазине «Ямаха» приобрел электрическую скрипку. Как игрушку. Но так получилось, что скоро в Большом зале консерватории была премьера Концерта для альта моего друга, замечательного композитора Александра Чайковского. Все части этого сочинения написаны в разных стилях. Одна из частей сделана в стиле танго. Только мы встретились, я и говорю: «Слушай, я вот привез такую игрушку, а что, если попробовать эту часть сыграть на электроскрипке?!» Мы попробовали, и ему очень понравилось. Так это и было исполнено, а через месяц японцы из «Ямахи» сказали, что я второй человек в мире, который играет на их электрической скрипке этой модели... после Ванессы Мэй. Я не выдержал и спросил: «А почему вы альт такой не делаете?» Они меня послушались, сконструировали альт, и я его недавно привез.

ИМПРОВИЗАЦИЯ СО СТИНГОМ

Однажды мне предложили принять участие в благотворительном концерте в Карнеги-холл. Предложение показалось очень привлекательным не потому, что концерт был посвящен защите лесов от кислотных дождей, а потому, что приглашал Стинг. Защитой лесов очень активно занимается его жена. Это была ее акция, но с его помощью.

Репетиции перед концертом (а в нем участвовали и Мадонна, и Элтон Джон, и Стиви Уандер) я не забуду никогда. Репетировали произведение Сен-Санса «Карнавал животных», в котором каждая пьеса связана с каким-нибудь животным, а Бобби Макферрен ужасно смешно их изображал.

Атмосфера была замечательная. Я уж не говорю о том, как там все было налажено, какая была аппаратура. Поневоле вспомнилось львовское гитарное прошлое и какими средствами мы обходились в свое время. А здесь... Микрофоны без проводов, две ударные группы по разным концам сцены, а игра трех духовиков, которые гвоздили невероятные аккорды прекрасного качества!

В общем, слюнки текли, захотелось вспомнить былое. Но я, конечно, не осмеливался взять гитару и что-то такое сыграть... Однажды я все-таки решился пошутить, подошел к Стингу и вставил ему в подбородок свой альт. Думал — пусть попытается извлечь хоть какой-нибудь звук. Он как-то смущенно улыбнулся, взял смычок, и — вдруг очень такой приличный звук появился, с вибрацией — я прямо поразился. В тот же вечер на концерте я понял, почему это удалось — исполняя какую-то песню, Стинг взял контрабас и прекрасно заиграл. Все стало на свои места.

Еще шоком для меня было появление одного из моих идолов — Стиви Уандера. Он завершал весь концерт. Его вывели, поскольку он слепой, усадили на стул, Уандер поднял руки и — взял первый аккорд. Гармония абсолютно чистая — это меня убило наповал. Одну ноту можно играть с закрытыми глазами, а вот аккорд прямо из пустоты, без подготовки!.. Я хорошо все видел — сидел в тридцати сантиметрах за его спиной. А потом был апофеоз концерта — когда все участники могли импровизировать и играть что-то во время заключительной песни... После концерта мы со Стингом еще пообщались, он подписал фотографии для моей дочки Ксюши.

Прошло время, и однажды я приехал в какой-то французский город играть с оркестром. Был вечер, я чувствовал себя очень уставшим. Когда вернулся в отель, мне вручили факс от Стинга. В нем была биография какого-то китайского музыканта, довольно обширная, и Стинг просил подписать письмо в его защиту, адресованное Клинтону, — китаец был политическим заключенным. Я мгновенно поставил свой автограф и также факсом отправил назад и лег спать, а утром, за завтраком, получил еще один факс — уже с благодарностью за скорый ответ и решение помочь.

Потом несколько месяцев я ничего о нем не слышал. И уже в другой стране получил письмо от этого китайца, который писал, что был невероятно счастлив, что такие люди за него вступились, что мы всегда должны быть вместе, помогать друг другу. В общем, очень теплое послание и в конце его приписка: «Кстати, в тот момент, когда письмо дошло до Клинтона, я уже месяц был на свободе». А далее следовало продолжение: «Мой бывший сосед по камере тоже музыкант, тоже сидит в тюрьме, теперь надо ему помогать...»

Стинг потом и дальше занимался судьбой этого музыканта — подыскивал ему место жительства. У того было нехорошо с легкими, и, когда он находился в заключении, его состояние ухудшилось.

Следующий раз мы встретились во Флоренции. Оказывается, у Стинга в Тоскане дом и поместье, где он готовил новый альбом. А если он работает над новым альбомом, то не выступает и вообще не выходит из дома. Но тут увидел мои афиши и пришел на концерт. После концерта мы отправились ужинать к дирижеру Семену Бычкову: его жена — французская пианистка Мариэль Лебек, и у них замечательный дом во Флоренции. Там, естественно, были рояли, и после ужина Стинг попросил Мариэль сыграть начало его любимого произведения Шуберта... В результате по его просьбе она сыграла его более десяти раз!

Потом как-то естественным образом я и сам оказался у рояля. Я не стал уговаривать его спеть, но он, увидев, что я вполне могу ему саккомпанировать, запел одну из старых, известных песен группы «Procol Harum», которую я помнил и любил еще по своей львовской жизни. И все шло хорошо, пока я не забыл, что там есть какая-то средняя часть. Ведь столько лет прошло... Я извинялся, ведь для меня игра на рояле все-таки не главное дело... Но он все равно расстроился.

АЙЗЕК СТЕРН, ИЕГУДИ МЕНУХИН И ДРУГИЕ ГЕНИИ

Первый раз я встретился с Айзеком Стерном в 1988 году в Париже, куда меня вывезли на благотворительный концерт в помощь жертвам землетрясения в Армении, который устраивал Шарль Азнавур. В Париж я прилетел поздно вечером, а утром меня разбудил сам Айзек Стерн, сказал по-русски, что ждет меня в таком-то номере, что рад меня увидеть, потому что много обо мне слышал. Я пришел к нему, он предложил кофе. Стерн был уже со скрипкой, мы начали играть «Пассакалию» Генделя. Через пять минут он остановился и спрашивает:

— Кто тебе ставил правую руку? Я такой еще не видел.

Потом мы выпили кофе, доиграли до конца. Он закурил сигару, стал рассказывать анекдоты.

На концерте произошел казус: там есть трудное место, которое у него, что называется, не пошло, не получилось (не надо забывать, что ему было уже 68 лет и после операции на сердце прошло всего два месяца). В общем, он перепутал местами ноты в одном из пассажей, но тональность при этом не потерял, так что никакой трагедии не случилось. Совершенно неосознанно, на уровне подкорки, я повторил потом его пассаж в точности так, как сыграл он. Интересная была реакция парижской музыкальной общественности. Это передал мне мой друг:

— Не только талантливый мальчик, но и умный, молодец!

Потому что если бы я сыграл как написано, то получилось бы, что Стерн ошибся. А тут вышло, что это мы так задумали. Причем я прекрасно помню, что действительно совершенно неосознанно это сделал.

А потом была встреча в Нью-Йорке. Мне очень

понравился квартет Стерна, состав был изумительный — Йо Йо Ма, Эмануэль Акс, Джим Ларедо, — и Айзек был в прекрасной форме. Исполняли они фортепианные квартеты Брамса. Позже их запись была номинирована на премию Грэмми или даже получила Грэмми, если я не ошибаюсь.

Настроение после концерта было замечательное, и мы собрались потом в артистической Стерна в Карнеги-холл. В полночь Алик Слободяник, который был со мной на концерте, показал на часы: мол, пора уходить, поскольку я заказал у одного дилера автомобиль, джип, а мне утром улетать, и нужно было довести с ним все до конца. Я Айзеку рассказал все как есть, он и отвечает:

— Машину! Чтоб ночью, в Нью-Йорке? Невозможно! Давай поспорим!

В общем, он мне проспорил.

С Иегуди Менухином я общался напрямую один раз. Но была еще и предыстория. Мне было десять лет, и мама купила у спекулянтов во Львове билет на концерт Менухина в Оперном театре. Он играл концерт Бетховена. Я не помню ни одной ноты, лишь общую атмосферу волшебства и энергетику зала, восхищенного этим великим музыкантом. После концерта я был настроен невероятно возвышенно и сказал, что буду больше заниматься. На что мама ответила:

— Будешь хорошо заниматься — поступишь в хороший оркестр и станешь исполнять вот такую музыку.

На что я быстро ответил:

— Значит, я буду играть с оркестром стоя?

То есть имелось в виду, что я буду солистом. Это все мне мама рассказывала, сам я не помню. Помню только ощущения от концерта и самого Ме-

182

нухина, который, казалось, излучал свет, достаточно было просто посмотреть на его лицо. А потом пошли всякие разные «почти» столкновения. Почти мог приехать в его школу, меня приглашали. Не получилось. В Москву он приезжал — я к нему подошел, поздравил и ушел. А встретился с ним уже в Страсбурге, когда мы играли с Володей Спиваковым «Концертанте» Моцарта и он дирижировал «Виртуозами Москвы». Тогда мы и интервью давали, и общались. Менухин сказал, что мечта его жизни, чтобы два таких инструменталиста играли вместе произведение Моцарта, а он при этом дирижировал.

Много раз мне довелось выступать и с Анне-Софи Муттер. Это особый случай — она выдающаяся скрипачка. Мы с ней совершенно разные, и я бы очень хотел однажды услышать со стороны, как это получается.

Когда несколько лет назад ей была присуждена премия им. Д. Шостаковича, она приняла ее знак, но денежное выражение оставила в Москве в пользу молодых талантов, заявив во всеуслышание, что Россия сейчас в таком положении, что она хочет помочь, чем может.

Когда-то папа в мой день рождения произнес спич о том, что я везучий человек и у меня хорошая судьба, потому что в жизни мне встречаются очень хорошие люди. Я с ним согласен. Мне действительно везло (и везет). С партнерами, с менеджерами, которые блистательно могли общаться и с королями, и с директорами из Госконцерта.

Таким был Андре Бороц. Человек настоящий, умный, обаятельный. Он обожал своих артистов. Он мог, не стесняясь, подойти и неожиданно поцеловать руку после концерта, если ему что-то особенно

183

понравилось. И отсюда все остальное — общение, настроение перед концертом, желание как можно лучше сыграть, потому что не хотелось обманывать его ожидания.

ФРАК ДЛЯ «ЧАЙЛЬД ГАРОЛЬДА»

Самая смешная история произошла в прошлом году в Риме. Мы жили с моим другом дирижером Валерием Гергиевым в большой квартире недалеко от Ватикана. Нам предстояло играть «Гарольда в Италии» Берлиоза. В день выступления к нам приехали гости, человек двенадцать. Представьте себе неразбериху перед концертом, когда много людей и каждый что-то спрашивает, а ты уже переключился на сцену. Остается пятнадцать минут до начала выступления, все кричат: «Пошли в машину, я альт возьму, ты — то, ты — это...»

Концерт должен передаваться по радио в прямой трансляции. Ехать три минуты. Мы примчались, я быстро достаю инструмент, чтобы разыграться, прошу никого не заходить. И вдруг понимаю, что у меня нет фрака. А было очень жарко: на мне черная рубашка из крупной сетки и черные обтягивающие джинсы. Туфли совершенно не концертные, хотя и черные. Начинаю спрашивать, кто нес фрак, выясняется, что мой друг забыл его дома. В это время появляется директор зала и говорит, что пора одеваться, иначе мы не успеем. Я делаю вид, что все в порядке, а другу шепчу:

— Мчись за фраком, как метеор!

Он вскочил в машину, поехал, но попал в пробку... Я тянул, сколько мог... Пробило восемь часов, Валера тоже нервничает, старается как можно медленнее одеваться. У директора предынфарктное состояние:

— Маэстро, идите на сцену в любом виде. Вас сейчас будет слушать вся Италия!

Но не могу же я выйти в рубашке с короткими рукавами! В речи директора все чаще слышится слово «контракт». Я медленно и лениво спускаюсь вниз по лестнице. На мне был еще ремень с какой-то блестящей пряжкой, ужас! Директор обещает объявить в зале, что утерян мой багаж. Наконец, когда я уже одной ногой буквально на сцене, влетает мой друг с фраком. Директор кричит, что у него нет ни одной секунды, я выхватываю фрак, надеваю его прямо на рубашку, протягиваю руку за брюками, но директор буквально выталкивает меня на сцену. А Валера Гергиев в последнюю секунду вытаскивает из моих джинсов ремень, чтобы пряжка не блестела. В таком виде — джинсы, рубашка в сетку и фрак — я выхожу на сцену. У оркестра в этом произведении довольно большое вступление. Стою и думаю, что главное — не суетиться, как будто так и надо. Вдруг чувствую, джинсы начинают сползать. Пока руки свободны, я их подтягиваю. Но что будет, когда начну играть? В результате все нервы, весь ненужный адреналин израсходовались на эти переживания, и получился, может быть, лучший «Чайльд Гарольд» в Италии и в моей жизни.

На следующий день появилась статья под заголовком «Гарольд в джинсах и во фраке». В ней объяснялось, что «Гарольд» — мистическое произведение, и разные стили его исполнения, а также некоторый момент театральности на сцене вполне возможны. Исполнение хвалили, и, что самое удивительное, хвалили наряд. Как известно, согласно программе произведения, в первой части живописуется путешествие Чайльд Гарольда в горах, и поэтому он, конечно же, не мог по ним лазать во фрачных брюках!

Когда я в следующий раз приехал в Италию, меня сразу спросили: все ли в порядке с фраком?..

РИСУНКИ НА ПЕСКЕ

Всем нам знакомо детское желание летать. Обычно оно проходит с возрастом. К счастью, для меня оно пока что достижимо. Для этого просто необходимо войти в особое состояние — состояние одиночества с инструментом в руках. Есть такое выражение: наедине со всеми. Так вот, для меня это — наедине с инструментом и одновременно с миллионами душ, от композитора до музыкантов и слушателей. Ведь в любом гениальном произведении говорится о жизни и смерти, любви и ненависти, счастьи и горе человечества в целом и каждого человека в отдельности.

Существует много фантастических романов о машине времени. Для меня здесь нет никакой фантастики. Исполняя классическую музыку, написанную более двухсот лет назад, по сути, благодаря нотным знакам, при некоторых определенных душевных усилиях удается соприкоснуться с тем временем. Напрямую.

Удача на сцене рождает во мне ощущение полноценного присутствия в жизни. А все связанное с бытом кажется случайным и даже несущественным. Как будто это и не со мной происходит. Я бы даже так сказал: обычная жизнь кажется мне порой виртуальной, а творческий процесс — настоящей.

Каждое выступление — это лишь этап творчества. Ремесло наше (в отличие от книги, которую можно купить и наслаждаться чтением бесконечно) сродни рисунку на песке: ты отыграл произведение, и вот нахлынула волна и все смыла. Когда Давида Федоровича Ойстраха спросили, как он относится к своим записям, он ответил: «Это документ, который с годами превращается в обличительный». Еще ни разу я не слышал собственной записи, после которой сказал бы себе: все, лучше я никогда не сыграю. Только однажды на концерте во Франции мне показалось, что я дотронулся до сути Сонаты Шостаковича. И это страшно. Опасно поймать перо жар-птицы.

* * *

Многие музыканты излишне пользуются рубато (свободным отношением к ритму). У великих мастеров оно едва заметно. Это вопрос меры, эстетического чутья. Меня часто тянет играть чрезмерно свободно — это очень большой соблазн, но я стараюсь себя дисциплинировать. Проявление свободы в отношении к авторскому тексту композитора должно быть минимальным и присутствовать в виде намека. Артур Рубинштейн исполнял Моцарта так, что в первый момент было непонятно — использует он рубато или нет. Это высший пилотаж, когда, пройдя через все исполнительские искушения, ты возвращаешься к простоте, но уже осознанной.

Я часто говорю своим студентам, что рубато можно пользоваться до той степени, пока есть возможность записать на слух текст данного музыкального произведения так, как оно записано композитором. И это лишь первая ступень к ясности текста и владению временем. А дальше — это уже не рубато, а анар-

187

хия. Мне кажется, что в данном ограничении заложен величайший стимул поиска иных исполнительских средств, которыми богата музыка.

Рихтер когда-то сказал замечательные слова: «Труднее всего играть романтическую музыку». И в самом деле: романтическая музыка требует от исполнителя особого душевного благородства. Когда фальшивишь, я имею в виду неискренность чувств, это всегда слышно. Романтика апеллирует непосредственно к сердцу, душе и разуму одновременно. Но здесь нас ждут свои подводные рифы. Музыкант вроде бы играет выразительно и чувственно, допустим, Шопена, но в целом произведение разваливается по форме, и вскоре появляется ощущение, что ты объелся сладкого. Играющий Шопена должен быть эстетом и мудрецом одновременно. Именно тогда «провокационная» красота музыки Шопена не заслоняет ее душу.

И все-таки каждому артисту хотелось бы иметь свое творческое лицо, но вот выражение этого лица должно меняться в зависимости от того, что за музыка исполняется и как к ней относится интерпретатор. Я — за многообразие индивидуальных оттенков. И против застывших масок.

В свое время я интересовался традициями исполнения произведений различных эпох и стилей. Старался уяснить специфику выразительных приемов и средств, присущих искусству музыкального классицизма, романтики, барокко. Моей целью тогда было воссоздание буквы и духа разучиваемых сочинений. Польза от этого была несомненна.

Я все чаще задумываюсь над тем, что одно и то же выразительное средство в музыке может иметь различное смысловое наполнение. Вспомните Альфреда Шнитке. Он часто использовал стилевые приемы, принадлежащие, казалось бы, различным эпохам и направлениям, и с их помощью лепил свои звуковые формы. Причем он не просто реставрировал те или иные стилевые атрибуты прошлого, но творчески оживлял их, пропускал через свою душу, насыщал их новым смыслом, новым значением, новой экспрессией.

Так же и у исполнителей. Одни и те же приемы, но наполненные личностным смыслом, согретые собственным отношением, предстают вдруг в совершенно ином качестве. Даже вполне традиционное начинает неожиданно выглядеть ярко, свежо, творчески самобытно.

* * *

Для меня всегда были важны мои внутренние представления и ассоциации, которые оказывали заметное воздействие на мое общее душевное состояние и тем самым на исполнение.

Наше подсознание — это безбрежный таинственный мир, и что в нем происходит, мы не знаем. Да и не должны, наверное, знать. Хотя то, что определяет общий характер трактовки, приходит именно оттуда, из его загадочных глубин.

Очень-очень давно я пригласил маму в Юрмалу, где летом традиционно устраивались концерты. Она приехала из Львова, а я из Москвы. И мы жили неделю в Юрмале. Я увлекся музыкой Марена Марэ, мало кому известного французского композитора рубежа XVII-XVIII веков, блестящего исполнителя на виоле да гамба. Если проводить какие-то параллели с другими видами искусства, я бы вспомнил эстетику и юмор вольтеровской прозы и яркость и изящество красок на картинах Ватто.

Я тогда учил его Сюиту ре минор. И вдруг у меня возникла мысль: «А что, если звуками выстроить сюжет так, чтобы у зрителя возникло некое визуальное восприятие!» Картинки должны были быть красочными, чтобы сюжет воплотился в звуках. Итак...

Сцена. Занавес закрыт. Звучит яркая прелюдия, сопровождающая открытие занавеса. И далее в череде танцев развертывается представление «Театра масок». Возникают образы, каждая часть — это некий образ, некая маска, некое состояние души, выраженное определенной краской звука..

В этот месяц в Юрмале гастролировал симфонический оркестр Московской филармонии. В нем работал мой приятель контрабасист Юра Тер-Михайлов. Я пригласил его к себе и говорю:

— Я сейчас учу сюиту и хочу тебе ее сыграть. А ты должен рассказать мне, что ты услышишь и увидишь.

Вы не поверите — он рассказал мне мой сюжет! Я был невероятно счастлив. Но, добившись этого, дальше не пошел. Не в раскрашивании же нот суть музыки, в конце концов...

«Театр масок» в сюите Марэ — это, скорее, исключение в моей практике, нежели правило. Но вот что-то выходящее за рамки сугубо профессиональных «технологических» задач должно присутствовать непременно. Поэтому, разучивая новое произведение, я думаю не о том, чтобы просто расширить свой репертуар; мне нужно найти в нем некий глубинный смысл, самому поверить в него, а главное — влюбиться в это произведение. И только после этого появляется желание эту музыку исполнять — и как можно быстрее.

***

Я не думаю, что достиг вершины в своем творчестве. И то, что сделано, это, скорее, все-таки аванс, который мне кем-то выдан. Бывали достижения, были и неудачи. Когда что-то не получилось, критикуешь себя жестче, чем любой критик. Ложишься спать и думаешь: «Почему? Отвлекся, что-то помешало...» Но это потом. А на сцене надо уметь вычеркивать неудачи тут же! Иначе дальнейшее исполнение, лишенное вдохновения, становится бессмысленным.

***

Когда-то много-много лет назад после конкурса в Мюнхене я оказался в одном интеллигентном немецком доме, и там, в концерте, исполнял Сонату «Арпеджионе» Шуберта. В зале оказался знаменитый критик, которого все боялись. Его фамилия, по-моему, Кайзер. Он очень образованный, уважаемый человек, сам хорошо играет на рояле, и у него прекрасно подвешен язык. Если критикует, то делает это осознанно и с достоинством, не оскорбляя исполнителя, поскольку знает, чего это стоит. И вот я осмелился и подошел к нему:

— Мне интересно узнать именно ваше мнение о моей игре.

Он меня очень похвалил, но все-таки сказал:

— Я думаю, что кульминация как-то слишком уж драматично у вас прозвучала...

Я прислушался к его мнению. Через десять дней у меня в Москве был концерт. Я учел эти замечания и более сдержанно исполнил кульминацию. И тут же мой близкий друг, замечательный журналист и критик Женя Баранкин посетовал, что не хватило драматизма в кульминации. И тогда я решил: буду играть так, как чувствую, это будет «мой Шуберт»! В конце концов, в произведениях Шуберта есть и невероятно сокровенные высказывания, и потрясающе экспрессивные мелодические линии, фразы, а драматургия каждого его произведения сама по себе — целая жизнь.

Я с интересом прочту любую рецензию, пусть даже критическую, но написанную профессиональным и образованным человеком. К сожалению, часто критиками становятся несостоявшиеся музыканты или люди, некомпетентные в этой области. Если говорить о Москве, то сегодня в столице принят за норму хамский тон критики, которая большей частью абсолютно неконструктивна. Складывается впечатление, что, если будет написано иначе, текст просто не напечатают.

* * *

Понятно, что чем известнее музыкант в мире, чем выше его рейтинг, тем плотнее гастрольный график, расписанный буквально на годы вперед по всему свету. И не только сами концерты, но и программы, партнеры и оркестры. Без такого четкого планирования невозможна жизнь профессионального артиста. Однако в последнее время я все чаще убеждаюсь в том, что эта система, по сути, противоречит самой природе исполнительского творчества.

Ведь невозможно планировать заранее все свои творческие интересы, появляющиеся иногда спонтанно. Давайте представим себе: где-нибудь в декабре будущего года я должен сыграть на одном из сво-

С Альфредом Шнитке

С Родионом Щедриным

С Гией Канчели.
Слева – дирижер
Джансуг Кахидзе

Рабочий момент с композитором Александром Чайковским

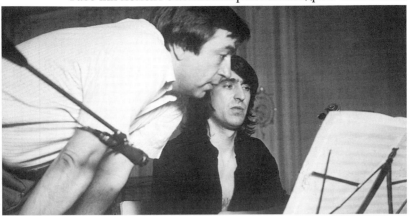

Валерий Гергиев.
Благодаря ему
я первый раз взял в руку
дирижерскую палочку

С маэстро Чунгом
на гастролях в Риме

После концертов

Женя Кисин

Максим Венгеров

Вадим Репин и Давид Герингас

С великими всегда интересно. Айзек Стерн

Мишель Порталь — гордость Франции,
замечательный кларнетист, любящий и классику, и джаз

Велосипед –
мое увлечение с детства

А теперь – и автомобили

Викентий, это тебя...

Медвежонок-коала в объятиях друга.
Австралия

Альт – тоже живое существо

Фото на память

Нани Брегвадзе

Нина Ананиашвили

Ольга
Бородина

Анни-Софи
Муттер

Джина Лоллобриджида

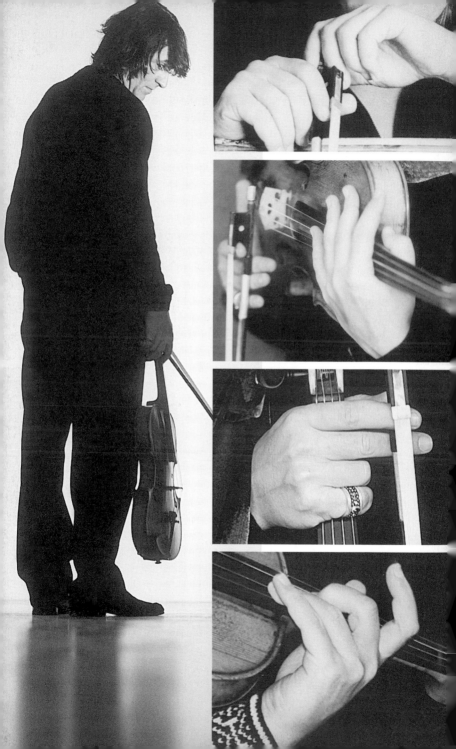

Игорь Чистяков. Как горько, что его уже нет с нами

Володя Демьяненко – моя правая
рука, «надсмотрщик и погоняла»

Роман Балашов – любимый
ученик и главный помощник
в консерватории и в ансамбле

Чайковский, «Анданте кантабиле». Играют «Солисты Москвы»

С первым президентом России Борисом Николаевичем Ельциным

... и королевой Великобритании Елизаветой Второй

Жизнь артиста – это не только сцена, но и чемоданы, дороги, гостиницы

их концертов, ну, скажем, музыку Баха. А я в это время увлечен Брамсом или Шостаковичем. Чем больше музыкант опутан разного рода договорами и обязательствами, тем труднее ему выкраивать время для свободного творчества — когда имеешь возможность играть ту музыку, которую хочется играть именно сейчас. Это ведь так важно — быть влюбленным в того автора, чье произведение предстоит исполнить сегодня вечером. А любовь, согласитесь, такое чувство, которое заранее предугадать и спланировать невозможно...

В связи с этим опять вспоминаю Святослава Теофиловича Рихтера. Он старался не планировать программы своих концертов намного заранее. Был такой случай: едем мы как-то с ним в автомобиле из одного города на севере Франции в другой, и вдруг он мне говорит:

— Юра, а не выступить ли нам с вами во Франкфурте-на-Майне? Отсюда сравнительно недалеко. Там неплохой зал, хорошая публика. А вот сыграть мы могли бы...

И Святослав Теофилович назвал мне несколько произведений, которые ему тогда захотелось исполнить.

Я позвонил из ближайшего города по нужному номеру телефона (мобильных телефонов тогда еще не было) — и действительно, через два-три дня мы играли во Франкфурте.

Я понимаю, что это прямо-таки идеальная ситуация для артиста. Почти неправдоподобная. И надо быть великим Рихтером, чтобы иметь право на такие творческие прихоти.

Мне могут возразить: большинство профессиональных исполнителей смотрят на это гораздо проще, рациональнее. Человек знает — где, что и когда он должен сыграть. Для него проблема одна — быть в форме. И я высоко ценю такой профессиональный подход к делу — готовность артиста в определенный день и час выйти на сцену во всеоружии. Но мой идеал готовности к концерту — это нечто большее. Если во время выступления на сцене хотя бы одна фраза прозвучала по-новому, свежо, если ты чувствуешь, что в твоих руках музыка рождается здесь и сейчас, — значит, можно считать концерт неслучайным. Любая музыка, независимо от ее стилистики и характера, должна создаваться на сцене, а не повторять себя подобно тому, как повторяется исполнительская трактовка в грамзаписи. Все остальное (техника и прочее) уже потом.

Наш Бог — музыка. Наш Бог — тот автор, которого ты сейчас исполняешь. И тут нужна смиренность и невероятная дерзость в одно и то же время.

* * *

Ансамблевая музыка — это порой лучшее, что пишут композиторы. Так что ансамблевые музыканты — счастливые люди. Они чаще других имеют дело с шедеврами. Поэтому и солистов иногда тянет поиграть в ансамбле, помимо того что это еще и шанс встретиться с друзьями. Самое главное, что музыканты, вливаясь в ансамбль, сознательно принимают на себя особые обязательства, если хотите, джентльменского характера. В этом, кстати говоря, и есть особая прелесть ансамбля — в соединении индивидуальностей.

Недавно мне довелось играть в таком ансамбле с Наталией Гутман, Василием Лобановым и Виктором Третьяковым.

Наташа — великолепный музыкант, очень серьезный, с потрясающим звучанием и колоссальным опытом. Витя — само олицетворение скрипки. Лобанов интересен своим эмоционально-рациональным подходом, потому что он и композитор, и пианист. Но главное, что всех нас, таких разных, объединяла одна очень важная черта: мы все воспитывались в Московской консерватории в русле некой традиции музыкального мышления, именно здесь сформировались как музыканты. Друг друга мы понимаем с полуслова. И какие бы бытовые, жизненные проблемы ни мучили нас, в момент музицирования все куда-то исчезает, и музыка действительно объединяет.

Дружба, конечно, необязательное условие для музицирования в ансамбле, но уважение друг к другу должно быть непременно. История знает очень много своеобразных отношений между музыкантами-ансамблистами. В знаменитом Квартете имени Бетховена скрипач и виолончелист на протяжении многих лет вообще не разговаривали друг с другом и в то же время замечательно играли. Квартет — это сложный организм. Представьте себе: четверо людей во время гастролей постоянно на глазах друг у друга. Даже супружеские пары не всегда выдерживают постоянного присутствия. А тут день за днем, год за годом...

Замечательно, что у нас в стране было два гениальных квартета. Вышеупомянутый Квартет имени Бетховена и Квартет имени Бородина. Совершенно не похожие друг на друга изначально. В Квартете Бетховена в исполнении преобладало личностное начало. Главное — музыкальная инициатива каждого участника. И как бы весь способ мышления их был связан именно с этим.

Квартет Бородина, этот великий ансамбль, был создан выдающимся музыкантом, виолончелистом Валентином Александровичем Берлинским. Он уже третье поколение музыкантов вырастил в Квартете Бородина, но мы буквально по первым нотам всегда можем узнать, что играет именно этот коллектив.

В этом квартете играл замечательный альтист Рудольф Баршай. Там многие годы работал Дмитрий Шебалин, потрясающий альтист, умный и тонкий музыкант, мой близкий друг. Он помогал мне делать первые шаги на поприще концертирующего солиста, и за это я ему очень благодарен. Сейчас Шебалин уже не выступает в составе квартета, и мне очень приятно, что его заменил талантливый молодой альтист, мой ученик, Игорь Найдин — победитель конкурса альтистов в Москве.

В свое время в составе квартета выступал Миша Копельман (тот самый, с Карпат), прекрасный скрипач, он работает сейчас в «Токио-квартет», и мы в шутку называем его Мишка Япончик...

Мне с Наташей Гутман посчастливилось участвовать в записи струнного секстета «Воспоминание о Флоренции» Петра Ильича Чайковского совместно с «бородинцами». И в первый момент нам с Наташей было нелегко, они же сыграны, а мы привыкли солировать. Однако члены квартета выказали нам такую любовь, что все получилось.

Для меня высший смысл в отношениях с партнерами возникает тогда, когда я не стесняюсь оголить свою душу на сцене. Такой партнер для меня, прежде всего, мой пианист Миша Мунтян. Таким был рано ушедший из жизни скрипач Олег Каган. Слава богу, у меня есть Витя Третьяков, Наташа Гутман, Валера Гергиев, «бородинцы»! С ними на сцене я абсолютно свободен.

* * *

С Валерой Гергиевым мы дружим с незапамятных времен, когда его еще не настигла мировая слава. Приезжая в Москву, он останавливался у меня на Спартаковской улице. Гергиев был одним из дирижеров Мариинского театра, во главе которого стоял тогда Юрий Темирканов. А после смерти Давида Хаджяна, изумительного дирижера и скромнейшего человека, он, оставаясь в Мариинке, стал главным дирижером Ереванской филармонии. А потом театр дал ему возможность развернуться в полную мощь таланта, выбрав его на должность главного дирижера и художественного руководителя.

Однажды Валера не смог приехать на фестиваль во французский город Тур, и менеджер предложил продирижировать мне (я уже рассказывал об этом выше).

Сейчас я даже не представляю себе, как пошел на такую авантюру! Ни одного урока по дирижированию в жизни не брал ни у кого. Не знал даже азов профессии.

В общем, концерт в Туре прошел удачно, а я решил учиться дирижированию и дальше на живых примерах. Анализировал выступления Герберта фон Караяна. Наблюдал работу Геннадия Николаевича Рождественского. Он — пример виртуозной дирижерской техники и глубочайшей интеллигентности в отношениях с оркестрантами.

Многому научился у Евгения Александровича Мравинского. Вот у кого в оркестре все инструменты звучали по-настоящему выразительно. Я уже не говорю о темпах! Но в отличие от Рождественского он — типичный представитель системы устрашения в оркестре. Так было, кстати, и у Тосканини, и у Баршая в Московском камерном оркестре, и у Светланова в Государственном симфоническом оркестре в советское время.

Задаю себе вопрос: а как сегодня? Что же может организовать массу, если нет страха? Ведь оркестр — это очень сложный организм. Мы сейчас не говорим о каждом из оркестрантов в отдельности. О том, где они родились, кто были их педагоги и какие у них амбиции. Кто-то хочет быть солистом, кто-то временно работает в оркестре, один обожает именно ансамблевое музицирование, другой с радостью подчиняется дирижеру, его воле, третий просто и без затей думает — вот поработаю еще годик, а потом уеду куда-нибудь, найду другую работу...

Я уверен, что должна быть мощная, чисто музыкальная сверхидея. И тот дирижер велик, кому удается отдельных музыкантов объединить в единое целое.

Считается, что дирижер — это человек, который должен держать дистанцию, не вступать в личные взаимоотношения с музыкантами. Тогда проще управлять. У меня эта дистанция не очень выдерживается. Нужно быть сильным человеком, чтобы не нуждаться в опоре, не зависеть от окружающих. Вести за собой, ничуть не сомневаясь, что за тобой пойдут. Иными словами, дирижер должен обладать харизмой и для своих оркестрантов, и для слушателей.

Мне очень близок совершенно феноменальный японский дирижер Сейджи Озава — человек с потрясающей, завораживающей пластикой. Я знаю людей, которые, к примеру, принципиально не согласны с его трактовкой русской музыки (и понимаю, почему), но в этом дирижере есть то, чего нет больше ни у кого другого: именно пластичная дирижерская техника собирает музыкантов, заставляет их отдавать себя музыке с радостью.

У каждого музыканта, ставшего дирижером, наверняка есть свой ответ, объясняющий причину перехода в иное качество. Один, к примеру, скажет, что это шаг на новую ступень творчества. Другой может отшутиться: мол, дирижеры дольше живут. У меня же все связано с тем, что я сыграл все музыкальные шедевры, которые были написаны для альта, — их не так и много. Поэтому дирижерство для меня — это возможность исполнять ту музыку, которая написана не для моего инструмента.

Есть еще особая «пряность» в деле дирижера, когда он работает с разными составами музыкантов. Камерный оркестр, так же как автомобиль «порше», способен реагировать быстро. А первоклассный симфонический оркестр подобен «роллс-ройсу»: он не может так же быстро развернуться, но ездить на нем потрясающе.

Раньше я думал, что хоровое дирижирование — это нечто совершенно другое, что хор — организм более медленной реакции, для него нужен другой показ, другой ауфтакт, какая-то другая энергия. Может быть, так и должно быть, но у меня с Хором соборов Московского Кремля образовались именно музыкантские «доверительные» отношения.

Я не учился дирижировать хором, и поэтому мне нужны были люди, которые бы просто уважали меня как музыканта, понимали бы, что я могу и ошибиться, верили в мои идеи. Конечно, очень многое зависело от руководителя хора, Геннадия

Дмитряка, который сумел внушить мне, что коллектив ко мне хорошо относится. Прекрасно, что в нашей стране существуют коллективы, которые, несмотря на все сложности, находятся в такой форме. Для них главное — творчество и его результат.

Добавлю лишь, что все эксперименты происходили два года назад в чудном месте на небольшом острове в Средиземном море, известном прежде всего тем, что двести лет назад здесь несколько месяцев провел в изгнании один из самых знаменитых людей Европы.

МУЗЫКАЛЬНАЯ ЛАБОРАТОРИЯ
ИМЕНИ НАПОЛЕОНА БОНАПАРТА

А начну я с Гоги Эдельмана, друга детства...
Мы сидели с ним в школе за одной партой много-много лет. Все, что проходит в юношестве впервые — первая чашка кофе, первый бокал вина, первые сигареты, первые танцы с девушками и много чего еще, — все было вместе. Он был сыном замечательного педагога, преподавателя музыки, заведующего кафедрой фортепиано во Львовской консерватории Александра Лазаревича Эдельмана. В доме у Гоги стояли очень хорошие рояли, была прекрасная стереоаппаратура. Это очень важно: если ты впервые соприкасаешься с классической музыкой, когда она звучит в примитивном моноприемнике, вряд ли возникнет желание посвятить себя ей. В доме Эдельманов я впервые услышал Шестую симфонию Чайковско-

го, Второй концерт для фортепиано с оркестром Рахманинова. И это решило мою судьбу — именно с того момента я понял, что влюблен в классическую музыку.

Сложилось так, что Гога вскоре уехал за границу. Его жизнь там была трудна и далека от музыки. Но вот через двенадцать лет мы встретились вновь, и у нас возникла идея создать музыкальный фестиваль. Это стало нашей общей мечтой, а потом реальностью — фестиваль «Эльба — музыкальный остров Европы» живет! Как и в детстве, мы всё поделили по-братски, то есть поровну. Я, так сказать, лицо фестиваля, его артистический директор, а Гога президент и главный организатор. Но самое главное, Гога вернулся к роялю и сейчас делит себя между организацией фестиваля и музыкой.

Теперь о фестивале. Его рождение пять лет назад было приурочено к открытию (чуть ли не после столетнего ремонта) старинного, необыкновенно уютного театра, в свое время построенного для опального императора.

Остров по сей день полон воспоминаний о Наполеоне. Отмечен буквально каждый его шаг. Два музея предлагают туристам и островитянам все о жизни великого полководца, великого реформатора (в том числе этого острова), великого изгнанника. И лишь одно кафе в главном городке острова Портоферрайо — гордо отмежевалось специальной вывеской: «В этом кафе никогда не бывал Наполеон».

А театр хорош — на маленькой площади, высоко над городом. Он стал нашим любимым домом, как и маленькое кафе рядом, и большой ночной «домашний» ресторан внизу, у самой воды.

Я уже упоминал выше, что импровизация в классической музыке — это прежде всего вопрос внутренней творческой свободы. Каждый профессиональный музыкант в состоянии импровизировать, но нужна та полетность, при которой человек чувствует себя действительно свободно, не боясь нарушить некоторые сложившиеся понятия, рискнуть, не теряя при этом сути произведения.

Меня связывает большая творческая дружба с выдающимся итальянским виолончелистом Марио Брунелло — лауреатом конкурса Чайковского. Марио в прошлом концертмейстер группы виолончелей в театре «Ла Скала», а сегодня он очень важная фигура в музыкальном мире Италии. У него есть и свой фестиваль, и свой камерный оркестр.

Его манера исполнения музыки Баха безупречна. В нем органично сочетаются современность восприятия старой музыки с глубокими знаниями в области аутентичного исполнительства. В его исполнении музыка Баха — живая философия, очень гармоничная и невероятно обворожительная.

На одном из фестивалей на Эльбе он предложил интересную экспериментальную программу с участием известного итальянского джазового саксофониста Клаудио Фазоли. Это была композиция в стиле crossover, где каждая из частей виолончельных сюит Баха продолжалась свободными импровизациями саксофона.

То, что делал Марио, было совершенно изумительно, а импровизации саксофониста, игравшего после Марио, порой вступали в противоречие с музыкой Баха. Хотя сам факт такого опыта, буде он доведен до конца, до совершенства, я думаю, заслуживал бы внимания.

* * *

Так что же такое crossover? Буквально crossover — это пересечение, соединение различных жанров в пределах одного музыкального произведения. Сегодня существует много записей, соединяющих, скажем, знаменитого музыканта — исполнителя классической музыки с индийскими народными оркестрами или с цыганским ансамблем. И джаз с классикой или джаз-рок опять же с классикой. То есть встречаются люди разных культур и находят особое удовольствие в профессиональной дружбе, в поиске новых выразительных средств в музыке.

Один из подобных опытов произошел еще в прошлом столетии и даже тысячелетии, то есть четыре года назад, во время второго фестиваля на Эльбе. Виновником, вернее, инициатором и автором стал мой старинный товарищ Игорь Райхельсон — удивительный, разносторонний человек и прекрасный пианист. Он вырос в Ленинграде, а потом переехал в Нью-Йорк, где учился у профессора Эдельмана, того самого, отца моего друга Йоги. Параллельно Игорь занимался еще и на джазовом факультете. Потом, как он сам выражается, понял, что это плохой бизнес, и нашел хороший бизнес, настоящий. Он стал заниматься цветными металлами. Компания его очень успешно развивалась (она и сейчас существует и действует), но никто из окружавших Игоря не знал, что он каждый день, возвращаясь из своего офиса домой, по нескольку часов занимается на рояле. И так на протяжении многих-многих лет. На пюпитре рояля у него стояли ноты Шопена, Скрябина, Рахманинова, Моцарта. Так что он всегда был в отличной пианистической форме. Но потом его как прорвало — он начал очень много сочинять.

Так вот, в 1999 году Игорь Райхельсон создал произведение в стиле, который вскоре обрел специальное международное название «crossover». Это была его сюита для альта, саксофона, рояля, камерного оркестра и джазовой группы. Произведение предполагало, что солисты должны импровизировать в некоторые моменты на написанные темы. Поэтому приглашенные высочайшего класса джазовые музыканты имели возможность показать себя в полном блеске. Саксофонистом был наш замечательный Игорь Бутман, который во многом и способствовал созданию этого произведения. Они коллеги и друзья с Игорем. Он же собирал и остальных джазистов, из которых особенно запомнился контрабасист Эдди Гомес, один из самых великих джазовых музыкантов Америки.

Конечно, сюита Райхельсона была написана для меня, для моего камерного ансамбля «Солисты Москвы», но джазовые импровизации были настолько броскими и эффектными, что мы порой оказывались в тени.

Публика была в восторге. Одна из кульминаций была построена на импровизации двух контрабасов. Ее исполнили Эдди Гомез и контрабасист нашего ансамбля Юрий Голубев. Импровизация все длилась и длилась, а я слушал и думал: да, конечно, Эдди Гомез мастер, но что-то мне Юра больше нравится. Юра всем понравился больше. А ведь он учился импровизировать как раз по записям Гомеза. И это нормально. Ученики должны идти дальше. Но больше всего меня радует то, что Юра остается с нами и при всем своем джазовом мастерстве предпочитает классику. Во всяком случае, отдает ей гораздо больше времени. Чем очень напоминает великого французского кларнетиста Мишеля Порталя, еще одного непременного участника фестивалей на Эльбе.

Порталь одинаково фантастически исполняет и классическую музыку, и джаз, и просто импровизирует. Мишель — главное музыкальное лицо Франции. Единое в двух ипостасях. Почитаемое двумя непримиримыми аудиториями, которые он, впрочем, и не пытается примирить. Я очень ценю музыкантов, отлично играющих и классику, и джаз, и даже тяжелый рок.

Творческая энергия человека всюду — и в роке, и в джазе, и в классике. Но «тяжелый» рок приводит человека в определенное состояние за счет громкости и низких частот, его воздействие я бы назвал психическим, но не психологическим. Я ведь играл на гитаре в ансамбле во Львове. Когда я, прислонившись к колонке, брал аккорд, меня волной от нее отбрасывало.

Джаз — тоже эмоциональный жанр, но более рациональный и абстрактный, чем рок и поп-музыка. Импровизация в джазе требует колоссальной смелости, фантазии и обостренного чувства ритма. Классическая же музыка, мне кажется, предназначена для людей духовных, вне зависимости от образования, профессии. Она как вера, к ней все тянутся, просто путь бывает разным.

Рок обращен к более простым эмоциям, и с этим связан определенный стиль одежды — майки и джинсы. Джаз взывает, скорее, к разуму, и его аудитории более подходит галстук или жилет. Классическая же музыка стирает разницу между одеждами — ее принимают и монахи, и «малиновые пиджаки», и необычайно доброжелательные, терпеливые, гостеприимные жители острова Эльбы.

Они с интересом встречают любые наши новации и поиски. Восторженно аплодировали Гидону Кремеру, увлекшемуся танго Астора Пьяццоллы, и Кремлевскому хору, блистательно исполнившему вместе с «Солистами Москвы» баховский «Магнификат» в самом большом храме Портоферрайо. Кстати, именно там же два года назад мы впервые исполнили «Семь последних слов Спасителя на кресте» Гайдна. Это тоже был своеобразный эксперимент. Тогда священные тексты перед каждой частью читал не артист, не приглашенный участник фестиваля, а священник этого собора. И это создавало особую атмосферу, фокусировало и направляло ее. Такое в концертном зале, на мой взгляд, просто невозможно.

Да, Эльба для меня и моих ближайших друзей-музыкантов стала настоящей лабораторией. И одновременно любимым салоном, куда вырываются, хотя бы на вечер-другой, просто вместе помузицировать крупнейшие исполнители и друзья со всего света.

И обязательно приезжает еще один любимый друг.

* * *

Это Анатолий Семенович Кочергин. Трудно даже представить, что бы я делал, если бы рядом не было этого удивительного человека. И не только я один. Представьте себе, он настраивал и ремонтировал инструменты Давиду Ойстраху, Леониду Когану, Олегу Кагану, Владимиру Спивакову, Гидону Кремеру, Виктору Третьякову, Наталье Гутман. Он наш общий друг, наставник, опекун — все, что хотите. Он человек, на которого мы буквально молимся и которого любим все. Он не просто настройщик, реставратор, но еще и изобретатель.

Анатолий Семенович прошел стажировку у знаменитого Этьена Ватло в Париже. Как-то мне нужно было заменить подставку (а это очень серьезно, ибо она, по сути, меняет звук и ощущение инструмента), и я в Париже обратился к Этьену Ватло. А он мне сказал:

— У меня осталось всего десять таких подставок, я дам тебе одну из них, и ты поставишь ее себе в Москве, потому что у вас есть Анатолий Кочергин, которому я стопроцентно доверяю. Он это сделает в лучшем виде.

Так и случилось. Но дело не в Ватло. Анатолий Кочергин признан и без него. Он — уникум. Он понимает, как должен звучать инструмент и что исполнитель может из него «вынуть». И главное — бесконечно лечить, возвращая инструменту его неповторимое звучание.

Огромное счастье нашего фестиваля, что Анатолий Семенович всегда здесь присутствует, создавая атмосферу любви к исполнителю, доверия и надежности. Я его люблю очень много лет, и он меня тоже — я это чувствую.

Я НИКОГДА НЕ ЗНАЮ ДНЕЙ НЕДЕЛИ.

ТОЛЬКО ДАТЫ

Я полюбил этот маленький итальянский остров в Тирренском море, неподалеку от любимой Флоренции.

Я давно и преданно люблю Париж. И конечно — Львов. Люблю так, как любят детство, маму. Но, наверное, больше всего на этом свете все-таки люблю Москву. Иначе как объяснить, почему мой дом именно в Москве и нигде в мире — ни в Париже, ни во Флоренции, ни в Монпелье, — нигде еще не было ни квартиры, ни дома. Как объяснить, почему я непременно возвращаюсь сюда, а улетая на очередные гастроли, не успевает самолет оторваться от земли в аэропорту Шереметьево, уже ощущаю, как меня тянет назад. Как магнит. Как особая сердечная струна.

Один из самых ценных даров, данных человеку от рождения, — цельность натуры. Младенчество, детство, обретение профессии, первая любовь, семья, дети, зрелость — все это ступени естественного роста человека. Но когда ты покидаешь родину — нарушаешь эту естественность, по сути, рвешь связь времен внутри себя. Ведь всех нас формирует определенная среда обитания. В том числе — географическая.

Есть какое-то труднообъяснимое притяжение, например, к консерватории. Ее здание выстроено в форме буквы П. И оно как бы обнимает тебя, манит в свои объятия. А в центре этого — Петр Ильич на постаменте: ядро притяжения, символ традиций.

На кого-то, правда, эта сила не очень действует. Гидона Кремера, например, больше тянет в Ригу. А кто-то настолько самодостаточен и архиодарен — как Ростропович, что, и будучи оторванным от Родины и испытывая по ней сильнейшую ностальгию, тем не менее мощно реализуется всюду, где бы ни находился.

Я остаюсь, потому что здесь начиналось все и я не могу разорвать эту связь. Когда Ростропович покинул СССР, у него были весомые причины. Он сделал на родине все возможное, ему не давали расти и развиваться дальше, и, когда политическая ситуация с Солженицыным обострилась и достигла своей кульминации, уехать было естественным решением.

А Гидон Кремер? Он не мог играть музыку Шнитке по политическим причинам, хотя сам очень хотел ее играть. Но для многих других музыкантов отъезды были продиктованы в основном желанием обрести лучшую жизнь.

Меня властно тянет домой. Более того, для меня дом в России — это залог ощущения свободы в любой точке мира.

В течение года у меня бывает от ста пятидесяти до двухсот концертов по всему миру. Загляните в мое компьютерное расписание на несколько лет вперед — вы там и пяти незанятых дней не найдете. Но при этом есть долги, которые необходимо отдавать дома.

Например, обязательно провожу здесь весь декабрь — это традиция, идущая от «Декабрьских вечеров», я об этом уже писал. И это при том, что новогоднее время — самое урожайное на гастрольные предложения. Я отказываюсь от них. Не раз давал для москвичей 31 декабря бесплатные концерты — своеобразные новогодние подарки. Далее: периоды сессии, приемные экзамены, начало семестра — я ведь профессор Московской консерватории, заведующий кафедрой альта. Ну, а в остальное время года заезжаешь на два-три, самое —

большое, пять дней... И сутки становятся вдвое, втрое длиннее.

Вы не представляете, какую программу дел в Москве заряжает мне каждый раз мой ближайший помощник Володя Демьяненко. Он уже много лет тщетно пытается сделать из меня точного, обязательного человека, добиваясь невозможного — чтобы я все успел и никуда не опоздал. Увы, в Москве я просто не могу не опаздывать, и это, кажется, стало моей второй натурой. Я даже перестал ссылаться на обстоятельства, на московские пробки или задержки на других встречах. При всех усилиях Володи замедлить ход часовых стрелок не удается. Володя в прошлом пианист, заслуженный артист России, потом один из столоначальников в Министерстве культуры, муж очаровательной скрипачки Нади и брат покойного, всеми любимого «Шурика» — замечательного актера Александра Демьяненко.

В сущности, он и, конечно, еще Роман Балашов, прекрасный альтист, талантливый педагог, эрудит — именно они не дают мне утонуть в суете жизни, позволяют отдавать музыке главные мои силы и время. И хотя бы чуть-чуть оставляют меня семье, детям, дому, любимой Николиной Горе.

Иногда доходит до смешного. Однажды в плане на день читаю: «11 утра. Наталья Башмет». Спрашиваю:

— Что это такое?

Володя объясняет:

— Записал на прием твою жену. Она второй день не может с тобой поговорить, попросила назначить аудиенцию.

И смех и грех.

Женились мы, когда я еще не был знаменитостью — все было просто и искренне по чувству. А дальше карьера стала очень быстро развиваться, и Наташе было непросто адаптироваться к нашей новой жизни. Она стала моим верным спутником по жизни и в этом смысле напоминает мне жен декабристов, последовавших за своими мужьями на край света. Так любить дано не многим, и мне, конечно, страшно повезло. Ее женственность и обаяние органично сочетаются с тонким, блестящим умом.

После консерватории ее сначала распределили чуть ли не в Находку. А потом изменили решение благодаря Татьяне Алексеевне Гайдамович, тогдашнему декану. На меня в консерватории уже положили глаз и на втором году аспирантуры дали Ленинскую стипендию. В общем, учли, что мы уже муж и жена: пусть, дескать, работают поближе друг к другу, и Наташа была распределена в Камерный оркестр Тульской филармонии — раз в неделю мы все-таки виделись. А потом она ушла из оркестра после рождения Ксюши, чтобы остаться в Москве, со мною.

Я в это время уже начал заниматься квартирой, пропиской, и мне очень помог Владимир Карпович Частных. Он был проректором по хозяйственной части в консерватории. Познакомились мы гораздо раньше, еще до того, как поженились с Наташей. Ему «постукивали», и не раз, что я бываю и ночую на женском этаже в такой-то комнате, у Наташи Мельник. Как-то он подошел ко мне в коридоре консерватории и говорит:

— Зайди ко мне на минуточку.

Я зашел.

— Правда, что ты там столуешься?

Я застеснялся, покраснел:

— Правда.

Он спрашивает:

— Ну, скажи, это серьезно у тебя или так просто?

Я говорю:

— Серьезно.

— Ну, смотри!

То есть вместо того, чтобы меня наказывать и скандал устроить (это по тем советским временам-то!), он дал понять — ну, смотри, я, мол, тебе верю. И все. После этого через какое-то время я пришел к нему:

— Хочу жениться, Владимир Карпович. Не могли бы выделить нам комнату студсовета в общежитии для проведения свадьбы?

И хотя до того в истории консерватории такого не случалось, он разрешил. И с этого началась наша чисто мужская дружба.

Он и дальше стал помогать мне в приобретении прописки — звонил, терял свое время, старался изо всех сил. А пока, на время учебы в аспирантуре, нам выделили на время однокомнатную квартиру из лимита консерватории, бесплатную, на Хорошевском шоссе, и я невероятно благодарен ему за это.

Владимир Карпович был потом несправедливо, совершенно несправедливо наказан после побега Виктории Мулловой. Просто нашли стрелочника, как будто он здесь виноват в чем-то. И он ушел из консерватории. Но душа его, по-моему, до сих пор там. Он вечерами гуляет по Большой Никитской, смотрит, как выглядит здание, не осыпалось ли где чего. Грустная история...

Бог ты мой, каких только людей не посылала мне судьба в то время! И мне, и нам с Наташей. Одна такая встреча состоялась в Италии, в маленьком городке Фьезоле под Флоренцией.

Это было еще в застойное советское время, в один из первых моих приездов в Италию. Вечером, после концерта, в городе шел какой-то карнавал, а мы ужинали. Со мной был Миша Мунтян и мой менеджер Джанкарло Карена. А еще на ужине была какая-то женщина из Госконцерта и мужчина. Явно большой начальник. Они на концерте не были, но присоединились к нам позже. Мужчина все время молчал, но после того, как мы изрядно выпили красного вина, вдруг встал и предложил тост за советских артистов, в данном случае, в лице Башмета и Мунтяна, за артистов, ради которых они — работники Министерства культуры — живут и работают. Мы с Мишей одновременно стукнули друг друга коленками под столом, потому что таких речей от чиновника не могли себе даже представить.

Потом я вышел покурить, там было довольно душно, и этот мужчина тоже вышел. Мы с ним стоим вместе, курим у входа в ресторан, мимо нас проносятся всякие маски, гремит музыка. И вдруг он говорит:

— Почему вы никогда ко мне не обращаетесь? У вас что, нет проблем? Ко мне часто ваши коллеги ходят. — И называет несколько имен.

Я отвечаю:

— Спасибо большое. А как к вам попасть? У меня, конечно, есть проблемы, но я даже не знаю, где министерство находится.

Он улыбнулся коротко, и мы вернулись. Потом был десерт, и все разошлись по домам.

В это время я вел изнурительную борьбу за получение московской прописки. Ясно было, что если я не остаюсь в Москве, то ничего с моими сольными амбициями не получится.

Примерно через месяц я отправился на улицу Куйбышева, в Министерство культуры. С трудом прошел охрану, говоря всем, что меня ждет Сергей Сергеевич Иванько.

Здесь, кстати, нужно отметить, что за полгода до этого случая, в последнюю ночь в Риме перед возвращением на родину, я прочел запрещенную тогда в СССР книгу Владимира Войновича «Иванькиада».

Вошел в кабинет — а он маленький, но очень светлый, свежий, чистый воздух, сидит довольно симпатичная молодая женщина, которая сразу, прямо с порога, пренебрежительно на меня посмотрела: «В чем, собственно, дело?»

Я ей:

— Я пришел к Сергею Сергеевичу.

— А он вас приглашал?

Я говорю:

— Да. Он меня ждет. — А у самого от страха ком в горле.

Она отправилась в начальственный кабинет, секунд через двадцать вернулась:

— Ну, проходите.

То есть уже по ее интонации я должен был понять, что ходить туда незачем, это просто для отвода глаз принимают — мол, пусть войдет, так и быть.

Вошел. Кабинет огромный, стол огромный, на столе слева ни одной бумажки. И сидит, положив голову на руки, такой мужичок, похожий на воробушка, вымокшего под дождем. Смотрел он не в сторону двери, откуда я появился, а перед собой, куда-то вдаль — в светлое будущее, наверное. Я стою, он сидит. Не реагирует. Повисла довольно большая пауза. Наконец фальшиво-театральным голосом я спрашиваю с пафосом:

— Сергей Сергеевич, вы меня не узнаете?

В ответ опять молчание. Тогда я еще раз:

— Сергей Сергеевич...

Он повернулся:

— Ну, узнаю, узнаю. Садись.

Я прошел, сел напротив, он и говорит:

— Я все помню. Что случилось?

— Ну, вы меня приглашали... у меня действительно есть проблема...

И начинаю объяснять про замкнутый круг — прописка, квартира, работа. Квартира, прописка, работа. Без работы нет прописки, без прописки нет работы. А прописка должна быть в квартире. Вот такой существовал тогда треугольник, и где-то в нем надо было пробивать брешь. Поскольку я был распределен в консерваторию после аспирантуры, то первая ступень была как бы пройдена, но оформлен там я быть не мог, потому что не было прописки и квартиры.

Так вот, когда мы с Сергеем Сергеевичем заговорили про квартиру, я сказал, что сейчас строится кооператив Большого театра и меня готовы взять туда. Естественно, деньги я заплачу, я уже играю концерты и могу купить себе квартиру, но мне нужно, чтобы сделали исключение и поставили на очередь. А в то время было правило — для вступления в квартирный кооператив нужен был пятилетний стаж постоянной прописки в Москве. Для получения государственной квартиры стаж в десять лет. Только для того, чтобы встать на очередь.

И когда я ему объяснил, что нужно ходатайство Министерства культуры, чтобы в виде исключения разрешили встать на очередь, он сказал:

— Кооператив — это не советская власть, уж я это знаю. Поверьте мне.

И тут у меня вырвалось:

— Да, я знаю, читал. Это ужас — все ваши квартирные перипетии.

Наступила гробовая тишина. Я понял, что облажался и теперь меня либо в Сибирь, либо еще куда. В общем, ужас. И тут он начинает истерически хохотать. Я не выдержал — и тоже. До слез. И сквозь этот смех он тычет пальцем в потолок и говорит:

— А вы знаете, я там такой герой, им всем это так нравится!

Ничего история? Советская такая.

Примерно через год, когда я узнал, что кое-кто иногда выезжает с женами на гастроли, я снова обратился к Иванько. Он сказал, что рассмотрит:

— Сейчас невозможно сразу, а вот через раз, когда еще куда-нибудь поедешь...

Я назвал Сиену. Он сказал:

— Вот и хорошо, пусть в Италию.

Это было, наверное, лет семнадцать назад.

Получилось так, что я приехал в Сиену преподавать в Академии Киджана не из Москвы. Жду Наташу, а она не едет ко мне, дело тормозится. И потекли дни, которые состояли из того, что я просыпался, звонил в министерство, завтракал, опять звонил в министерство, уходил преподавать в академию, возвращался — звонил. Но Иванько то на совещании, то сейчас не может... Должен отметить, что иногда он все-таки брал трубку, мы с ним говорили. Он опять обещал — сделаю, не волнуйся.

В результате Наташе стали оформлять визу. А после Сиены у меня были гастроли в Финляндии, на фестивале в Кухмо, без заезда в Москву. Проходил день за днем, из двух недель в Сиене осталась уже одна. Он говорил — да-да-да, все будет в порядке, раз обещал — сделаю. И вот в одном телефонном разговоре с Наташей выясняется, что она в Италию никак не успевает, потому что ей сообщили, что нет разрешения на выезд (тогда была система двух виз — одна въездная, другая выездная).

Я предупредил своего приятеля Сеппо Кимане-на, хозяина фестиваля в Кухмо, чтобы он на меня не обижался, но, если ее не выпустят, он должен быть готов к тому, что я не приеду. Моя логика была проста: я не прошу выпустить жену в Италию, а прошу нас временно воссоединить, потому что давно гастролирую. И мне не важно, на какой территории мы встретимся с женой, — мы давно не виделись.

Кончилось все тем, что Наташа все-таки не приехала. У меня было два билета в разные направления. Я сдержал свое слово и вернулся в Москву, поехал тихо на дачу, которую мы снимали на лето. Дней через пять начался скандал — обнаружилось, что меня нет на фестивале. Тогда многие убегали, вот и решили в первый момент, что я тоже сбежал... Им ничего не оставалось, как легализовать выезд моей жены.

По Министерству культуры существовал особый список из пятидесяти представителей культуры, который возглавляли наши знаменитые люди типа Гилельса, Ойстраха и так далее. Предпоследним был Юрий Хатуевич Темирканов... В общем, я был вставлен в самый конец списка, и с тех пор моя жена могла со мной выезжать.

Семь лет после окончания консерватории мы с Наташей скитались по общежитиям и чужим квартирам, потом шесть лет снимали дом на Николиной Горе, пока наконец не построили свой.

Сейчас у нас есть и городская квартира в Брюсовом переулке, но, хотя дом напротив консерватории, я ее не люблю. Есть в ней, правда, одно преимущество — она под крышей, а из кухонного окна видны окна квартиры Рихтера на Бронной. Так что мы могли «перемигиваться». Конечно, эта квартира очень удобна для моей дочери Ксюши, ведь она учится в консерватории по классу фортепиано.

Сначала мы с Наташей думали, что никогда не будем учить детей музыке. Это очень сложная специальность, тяжелая. Но так случилось, что в пять Ксюшиных лет мы затеяли ремонт и отправили ее во Львов. А там моя мама и мой старший брат вовсю развивали Ксюше слух. По возвращении выяснилось, что она уже знает ноты, поет какие-то песенки и играет гаммы на рояле. Глупо было теперь не отправить ее в музыкальную школу.

В подготовительную группу она поступила одной из первых. А я-то все думал: звонить в школу, попросить помочь — или нет. Решил — не звонить. Если пройдет, то пусть это будет честно, без моего участия. Она поступила, а потом я получил несколько упреков — зазнался, мол, даже не позвонил, не попросил.

Ксюша была очень интересным, незаурядным ребенком. Сегодня я сознательно приглашаю ее в некоторые свои концерты. Это естественно. Если родители могут чем-то помочь своему ребенку, они должны это делать. К счастью, мне не приходится за нее краснеть. Она умно справляется с этой сложной ситуацией — быть дочерью знаменитого отца. Ее уважают и сверстники, и взрослые. К ней хорошо относятся в консерватории, я это знаю.

Ксюша — сильная личность и тонко чувствующий человек, милый, добрый и талантливый. Я ею очень горжусь. Она счастливо вышла замуж, у нее и у ее мужа одни жизненные ценности — надеюсь, их союз навсегда.

А из сына Саши музыканта не будет. Жаль. У него сразу так замечательно легла в руки скрипка, а это очень дорогого стоит. Если бы у меня было чуть меньше гастролей...

Однажды я брал сына с собой в круиз по Средиземному морю. Купил ему в Париже хорошую скрипку старого мастера. Вижу: мальчик проникся, каждое утро занимается. Вернулись домой, а у меня опять круговерть поездок... Словом, время было упущено.

Саша пока в таком возрасте, когда мальчики проходят все искушения и еще не определились, чем будут заниматься. Он очень способный во многих областях, и чем скорее он сконцентрирует свое внимание на чем-то одном, тем лучше. В нашей специальности, например, уже к двенадцати годам ясно, что каждый из учеников из себя представляет. А пока Саша получает общее образование.

Видимо, не совсем честно вести такой образ жизни, как я: и семью иметь, и карьеру делать. Я не знаю, кому это удалось уравновесить в полной мере. Тут простая биологическая арифметика: отсутствуя в году почти триста дней, можно ли представить, что я уделяю своей семье достаточно внимания?

Я безумно люблю их всех и чувствую себя виноватым в том, что они, по сути, являются заложниками моей публичной деятельности.

НИКОЛИНА ГОРА

На Николину Гору я впервые попал, приехав в гости к другу и коллеге альтисту Дмитрию Шебалину, и был совершенно покорен красотами природы. Мы провели тогда несколько замечательных дней. Николина Гора — это своего рода русский Беверли-Хиллз, место, в котором с незапамятных времен селилась артистическая и интеллектуальная элита. Тут свои традиции, свои истории. В былые времена там всё узнавали первыми. Так, Сергей Сергеевич Прокофьев, например, любил по утрам гулять по поселку. Его, естественно, все знали в лицо и всегда подчеркнуто вежливо расшаркивались. Однажды он вышел на такую прогулку, и ни один из встречных с ним не поздоровался. В этот день было опубликовано знаменитое разгромное постановление ЦК от 10 февраля 1948 года об опере Мурадели «Великая дружба». Музыка Прокофьева наряду с произведениями других крупных советских композиторов была объявлена формалистической, чуждой советскому народу.

Здесь жил после войны в изгнании лишенный всех должностей академик Петр Леонидович Капица. Здесь дача В. Мясищева (генерального конструктора тяжелых бомбардировщиков). Тут же и дача В. Вересаева. Я и сейчас считаю, что его книга «Пушкин в жизни» — лучшее, что есть в нашей пушкиниане. Здесь была дача Святослава Рихтера.

Я унаследовал бывшую дачу замечательного советского дирижера Самуила Самосуда и сумел по собственному вкусу и возможностям ее обустроить. Вообще-то, сначала я хотел оборудовать здесь настоящую студию, но потом понял, что таких денег мне не скопить. На территории дачи тоже есть историческое место — скамейка на холме над Москвой-рекой, на которой Сергей Сергеевич Прокофьев обсуждал с молодым тогда Ростроповичем свою Симфонию-концерт для виолончели с оркестром, написанную специально для него. Слава сам мне об этом рассказывал.

Собака — мечта с детства. У моей мамы были в свое время сразу и немецкая овчарка, и колли. Колли маме подарил отец, мой дед, за успехи в учебе. По рассказам, он был высокообразованным человеком, владел семью иностранными языками. Точнее ничего не скажу — не знаю. Его репрессировали задолго до моего рождения. Как вы понимаете, после этого стало не до собак.

А я завел. Благодаря моему близкому другу Игорю Чистякову. Он буквально заставил меня взять собаку, о которой я много лет мечтал, но все не решался завести — жена сопротивлялась, все время повторяя: «Кто будет гулять с этой собакой? Кто будет за ней ухаживать?..» Она человек очень ответственный.

В один прекрасный день Игорь встретил меня в аэропорту, и мы прямо из Шереметьева отправились в клуб собаководства и выбрали шикарного щенка восточноевропейской овчарки. Викентий, так его зовут, из какого-то очень знатного собачьего рода, предки у него сплошные чемпионы и лауреаты.

С Игорем у меня в жизни связано много событий. Он был администратором первого состава «Солистов Москвы», помогал мне с машинами, с обустройством дома и быта, однажды ему пришлось защищать меня от уличных хулиганов. К сожалению, сегодня его нет с нами — он умер молодым от страшной болезни — видимо, последствия глупой автомобильной аварии.

Ему же я обязан и существованием на даче бильярда. Я долго собирался поставить его, но все никак не мог собраться с силами, а как-то приезжаю с очередных гастролей, а Игорь мне и говорит:

— Все уже заказано.

Иногда случается сыграть с соседом по даче Никитой Михалковым. Никита играет лучше меня, и ему сражаться со мной не слишком интересно. Соперник должен быть всегда чуть-чуть сильнее, чем ты. Тогда есть стимул.

Никита Михалков — бешено талантливый человек. К счастью, я знаю его таким, каким он неизвестен широкой публике. Он очень ранимый и невероятно добрый. Весь его самоуверенный вид — броня. Он умеет слушать, проявлять участие. Когда нужно — действовать. Понятие дружбы у нас — джигитское.

Я считаю его великим режиссером и гениальным актером. Он невероятно любит русскую природу, красоту которой видит совершенно особыми глазами, умеет ухватить ее и передать. Его панорамные съемки в «Неоконченной пьесе для механического пианино» могу сравнить только со своим первым потрясением от красоты нереального мира Новой Зеландии, ее насыщенных красок, цвета моря, зелени деревьев. Я должен был играть у него в фильме «Очи черные» роль цыганаскрипача. Мне даже разрешалось сказать несколько реплик. Но я не вписался в сроки съемок со своими концертами.

ФОНД ИМЕНИ МЕНЯ

Идея Международного благотворительного фонда Юрия Башмета принадлежит не мне. Его придумал мой старый друг Александр Митрошенков — в прошлом журналист, а сегодня успешный бизнесмен. Он оказался одним из наиболее талантливых людей в российском медиа-бизнесе. На телевидении ему принадлежит более пятидесяти программ. Мы познакомились лет 12—13 назад, когда одна из ведущих российских компаний ЛогоВАЗ учредила первую в России независимую премию за высшие достижения в искусстве — «Триумф». Это была потрясающая идея. Прежде всего потому, что жюри было составлено из профессионалов высокого достоинства. Литературу там представляли Василий Аксенов, Андрей Битов, Андрей Вознесенский; изобразительное искусство — Эрнст Неизвестный, Ирина Антонова; театр — Владимир Васильев, Екатерина Максимова, Олег Табаков; кино — Элем Климов, Вадим Абдрашитов, музыку — Володя Спиваков и я. Со временем жюри расширилось, но и такой состав обеспечивал высочайший авторитет.

Генеральным директором фонда «Триумф», который был создан для этой премии, стал поначалу Саша Митрошенков. Все было невероятно строго и серьезно. И абсолютно независимо от каких бы то ни было влияний и со стороны государства, и со стороны спонсоров; номинантов тайно выдвигали сами члены жюри и после дебатов, просмотров столь же тайно принимали решение. И в первый же год одна из премий была присуждена Альфреду Шнитке, другая — художнику Дмитрию Краснопевцеву. Не забывайте, что это было через три месяца после путча! Все мы пребывали в состоянии эйфории.

После заключительного заседания жюри Саша Митрошенков повез меня на автомобильную выставку в знаменитый Манеж на Моховой. Гуляя там, смакуя новинки, обнаружили родство душ не только в отношении автомобилей, но и в музыке. Он трепетно таскал мой бесценный инструмент, пока я перебирался из одной машины в другую. В общем, к вечеру мы стали если уже не друзьями, то хорошими приятелями. А со временем отношения окрепли, встречи стали достаточно регулярными, хотя в основном ночными — в соответствии с моим образом жизни.

По-моему, в первый же вечер я посетовал на то, что одной премии «Триумф» для музыкантов ужасно мало. Через год у него уже созрело предложение создать специальную музыкальную премию. Тем более Саша уже перестал заниматься «Триумфом». Его заразила сама идея поддержания мировых достижений в искусстве во имя их популяризации в России. Мы отказались от всякого жюри, а в основу номинирования положили экспертные оценки, которые включали в себя и число концертов в самых престижных залах мира, и количество дебютов дисков записи, и мнение мировой критики.

Саша взял на себя всю финансовую и организационную часть деятельности Фонда (размер премии составляет 25 000 долларов). Мне же досталась почетная роль Президента и нелегкая роль координатора, отвечающего за принятие решений в определении степендиатов фонда и лауреатов премии им. Д.Шостаковича.

Премия была учреждена в 1994 году и тогда же получила имя Дмитрия Шостаковича. Ирина Шостакович, вдова великого композитора, писала мне тогда: «Я с большой радостью откликаюсь на Вашу просьбу — дать имя Дмитрия Шостаковича премии международного благотворительного Фонда. Хочу выразить уверенность в том, что учреждение Международной премии имени Дмитрия Шостаковича будет служить сохранению духовных ценностей и укреплению национальных традиций отечественноый национальной культуры».

Наш подход оказался очень точным. За семь лет мы не получили ни единого упрека, ни одного знака несогласия с нашим выбором. Первым лауреатом премии стал наш бывший соотечественник, великий скрипач, страстный пропагандист музыки двадцатого века Гидон Кремер. Через год — обладатель прекрасного голоса, человек сложнейшей судьбы, инвалид от рождения певец Томас Квастхофф. Выдающийся дирижер Валерий Гергиев был удостоен премии Шостаковича в 1996 году. Художественный руководитель Мариинского театра, он возродил традицию общедоступных променад-концертов в его стенах, основал международный фестиваль искусств «Звезды белых ночей». Он вывел Мариинский театр на уровень мировых оперных сцен. Скрипач с мировым именем, яркий педагог и общественный дсятель, Виктор Третьяков по праву был удостоен признания и награды нашего фонда, также, как и международная суперзвезда, немецкая скрипачка Анни Софи Муттер — лучшее воплощение скрипичного мейнстрима. Ее выступление на сцене Большого зала консерватории стало настоящим подарком ценителям классической музыки. В 1999 году лауреатом стала обладательница редчайшего меццо-сопрано Ольга Бородина. В первом году третьего тысячелетия за огромный вклад в создание уникального международного фестиваля искусств «Декабрьские вечера» и заслуги в популяризации классической музыки я вручил премию Ирине Александровне Антоновой, выдающемуся общественному деятелю, академику, директору Музея изобразительных искусств им. А.С. Пушкина. Затем лауреатом премии стала Наташа Гутман — «богиня музыки», «королева виолончели», как я ее называю. Премия соединила в себе профессиональную престижность и абсолютную публичность.

Конечно, фонд Юрия Башмета занимается и чистой благотворительностью, помогая и музыкально одаренным детям. Помимо ежегодной стипендии юным дарованиям предоставляется возможность жить и учиться в Москве. Стипендиатами фонда стали талантливые пианисты Костя Шамрай и Мирослав Култышев, скрипачка Юстина Аполлонская. История знакомства с Юстиной покажется невероятной. Однажды я получил письмо из Кимр от восьмилетней девочки; письмо попало ко мне совершенно случайно. Оказывается, оно пролежало в консерватории около трех месяцев. Прочитав его, я понял, что Юстина просто одержима музыкой. Потом были звонки, прослушивания и, наконец, приглашение в Москву. Сейчас она успешно учится в специальной Музыкальной школе имени Гнесиных, подает большие надежды.

Но главное, безусловно, — музыкальное просветительство, пропаганда классической музыки путем устройства высочайшего уровня концертов с билетами по самым низким ценам, доступным малоимущим любителям музыки. Скажем, на один-единственный концерт Анни Софи Муттер самый дорогой билет стоил сто пятьдесят рублей.

На этом концерте в зале зааплодировали после первой части сонаты Бетховена, и, вручая ей премию, я сказал:

— Если смотреть на жизнь оптимистически, то, быть может, это совсем неплохо, значит, к нам приходит новая публика.

Музыканты всего мира часто жалуются на то, что аудитория классических концертов стареет, и, если ничего не предпринимать, сегодняшняя публика рано или поздно, увы, перейдет в лучший мир, а артисты останутся без работы. Однако похоже, что по крайней мере проблемы такого рода России сегодня не угрожают.

Недавно я испытал «прилив патриотического восторга» — меня пригласили встретиться с учениками Музыкальной школы Галины Вишневской, о существовании которой я и не подозревал.

Вышли тридцать детей от пяти до одиннадцати лет, «белый верх, черный низ», синхронно поклонились, потом начался маленький концерт. Их превосходно учат, я это вижу по постановке рук. И из этих тридцати двое, мальчик десяти лет и пятилетняя девочка-виолончелистка, просто потрясающие. Их педагоги нуждаются. Но удивительное ощущение, что, несмотря на все происходящее, это искусство живо!

И вот после всего я — в приподнятом настроении — спрашиваю:

— Чем я могу вам помочь, в чем была идея нашей встречи?

И знаете, что они ответили?

— Мы хотели вам сыграть. Показать наш уровень. Вот и все. У нас была цель, и мы ее достигли. Теперь мы счастливы!

ПОСЛЕСЛОВИЕ

Однажды, на один из моих дней рождения, Игорь Чистяков подарил мне ящик водки «Башметовка». Оказывается, можно официально заказать на заводе наклейки, которые налепят на готовую продукцию, и получится своеобразный сувенир. Так вот: на этикетках этой «Башметовки» были отражены основные вехи моей биографии: рождение, поступление в консерваторию, женитьба, победа на первом конкурсе... Я тогда задумался: а будь у меня право выбора, какие события я назвал бы знаковыми?

Иногда мне кажется, что все это происходило давно и недавно, что все эти события — как вспышки в окне мчащегося куда-то экспресса, который странным, причудливым, почти мистическим образом минует часовые пояса, климатические зоны, континенты и полушарии. Организм мой запутался окончательно, потерял ориентацию в пространстве и времени.

В детстве я умел «заказывать» сны, как фильмы

в видеотеке. О чем думал — то и снилось... Сейчас, правда, сплошной недосып, добираюсь до подушки и проваливаюсь. Функционирую на каком-то немыслимом автопилоте. Но как бы ни было некомфортно, понимаешь, что в моей жизни есть главное — радость творчества.

Я верю в судьбу. Кроме генов, которые передаются от родителей, существует некая космическая данность, которая от родителей не зависит. Это комплекс событий, в которых раскрывается наше предназначение в жизни. Если человек чувствует это предназначение свыше, верит в него и трудится, то и от Бога приложится.

Я верю в то, что все мои мечты и творческие планы сбудутся. Все. И те, что я давно ношу в себе, но не решаюсь исполнить, как, например, Шестую симфонию Чайковского и Фантастическую симфонию Берлиоза. Есть еще симфонии Брамса, Рахманинова. Где взять столько времени и сил?

Иногда я говорю себе: «Может, пора уже успокоиться? Разве ты мало сделал? Альт теперь всемирно признанный сольный инструмент наравне со скрипкой и виолончелью. Твое творчество обрело признание.

Прибавляют ли награды популярности? Не знаю. Но совершенно точно знаю, что некоторых коллег это раздражает. Вообще, когда артиста отмечают какой-либо наградой, это означает лишь то, что его общественное признание получило какой-то официальный статус. Это совершенно не удешевляет его дух, если он понимает, что на самом деле он служит своему Богу. А его Бог — это музыка.

Вот, кажется, и все. И сказаны заключительные слова. Но нет радости и облегчения. И нарастает тревога в ожидании обид. Не упреков, а именно затаенных обид. Ведь столько замечательных людей даже не упомянуто в тексте. Не от беспамятства или от нежелания. Просто не получилось так построить свой рассказ, чтобы вспомнить каждого, кому обязан в жизни хотя бы малым.

Спасибо вам всем!

Приложение

А.Шнитке
КВИНТЕТ ДЛЯ Ф-НО, 2-х СКРИПОК, АЛЬТА И ВИОЛОНЧЕЛИ

Год записи	Исполнители
1977	*Юрий Смирнов (ф-но)*
	Гидон Кремер (скрипка)
Фирма / Год издания	*Татьяна Гринденко (скрипка)*
Melodya	*Юрий Башмет (альт)*
BMG Music / 1998	*Карина Георгиан (виолончель)*

Ф.Шуберт
СОНАТА ЛЯ МИНОР «АРПЕДЖИОНЕ» D. 821 ДЛЯ АЛЬТА И Ф-НО
М.Регер
СЮИТА №1 СОЛЬ МИНОР ДЛЯ АЛЬТА СОЛО. СОЧ.131D
Ф.Дружинин
СОНАТА ДЛЯ АЛЬТА СОЛО. СОЧ.1959

Год записи	Исполнители
1978	*Юрий Башмет (альт)*
	Михаил Мунтян (ф-но)
Фирма / Год издания	
Мелодия / 1978,	
1980	

В.А.Моцарт

КОНЦЕРТНАЯ СИМФОНИЯ МИ-БЕМОЛЬ МАЖОР К.364
ДЛЯ СКРИПКИ И АЛЬТА

Год записи
1980

Фирма / Год издания
EMI / 1980
Мелодия / 1981
Olympia / 1981, 2000

Исполнители
Владимир Спиваков (скрипка)
Юрий Башмет (альт)
Английский камерный оркестр

П.И.Чайковский

СЕКСТЕТ «ВОСПОМИНАНИЕ О ФЛОРЕНЦИИ» РЕ МИНОР
ДЛЯ 2-х СКРИПОК, 2-х АЛЬТОВ И 2-х ВИОЛОНЧЕЛЕЙ, СОЧ. 70

Год записи
1980

Фирма / Год издания
Мелодия /1982

Исполнители
Квартет им.Бородина
Юрий Башмет (альт)
Наталья Гутман (виолончель)

П.Хиндемит
СОНАТА №4 ДЛЯ АЛЬТА И Ф-НО, СОЧ.11
П.Хиндемит
РАЗМЫШЛЕНИЕ ДЛЯ АЛЬТА И Ф-НО
Дж.Энеско
КОНЦЕРТНАЯ ПЬЕСА ДЛЯ АЛЬТА И Ф-НО
А.Головин
SONATA-BREVE ДЛЯ АЛЬТА И Ф-НО, СОЧ.1979

Год записи	Исполнители
1981	*Юрий Башмет (альт)*
	Михаил Мунтян (ф-но)

Фирма / Год издания
Мелодия / 1983

В.А. Моцарт
ДУЭТЫ К.423, К.424 ДЛЯ СКРИПКИ И АЛЬТА

Год записи	Исполнители
1982	*Владимир Спиваков (скрипка)*
	Юрий Башмет (альт)

Фирма / Год издания
Archives Sovietiques
(France)/ 1991

В.А.Моцарт

КВАРТЕТ РЕ МИНОР KV.421 ДЛЯ 2-х СКРИПОК, АЛЬТА
И ВИОЛОНЧЕЛИ
КВАРТЕТ СОЛЬ МИНОР KV.478 ДЛЯ Ф-НО, 2-х СКРИПОК,
АЛЬТА И ВИОЛОНЧЕЛИ

Год записи	Исполнители
1982,	*Святослав Рихтер (ф-но)*
1985	*Олег Каган (скрипка)*
	Виктор Третьяков (скрипка)
Фирма / Год издания	*Юрий Башмет (альт)*
Live Classics / 1999	*Наталья Гутман (виолончель)*

М.Ермолаев

КОНЦЕРТ ДЛЯ АЛЬТА С ОРКЕСТРОМ, СОЧ.8 (1981)

Год записи	Исполнители
1982	*Юрий Башмет (альт)*
	БСО Всесоюзного ТВ и Радио
Фирма / Год издания	*Дир. Владимир Федосеев*
Мелодия / 1983	

И.Брамс
ДВЕ СОНАТЫ ДЛЯ АЛЬТА И Ф-НО, СОЧ.120
ТРИО ЛЯ МИНОР ДЛЯ Ф-НО, АЛЬТА И ВИОЛОНЧЕЛИ,
СОЧ.114

Год записи	Исполнители
1984,	*Юрий Башмет (альт)*
1983	*Валентин Берлинский*
	(виолончель)
Фирма / Год издания	*Михаил Мунтян (ф-но)*
Мелодия / 1988,	
1996	
Olympia / 1988	

П.Хиндемит
СОНАТА №4 ДЛЯ АЛЬТА И Ф-НО, СОЧ.11
Б.Бриттен
«ЛАКРИМЕ» ДЛЯ АЛЬТА И Ф-НО, СОЧ. 48
Д.Шостакович
СОНАТА ДЛЯ АЛЬТА И Ф-НО, СОЧ.147А

Год записи	Исполнители
1985	*Юрий Башмет (альт)*
	Святослав Рихтер (ф-но)

Фирма / Год издания
Международная книга /
1991
Victor (Japan) /1995
Olympia / 1997

Ф.Шуберт
ОКТЕТ D. 803

Год записи	Исполнители
1985	*Олег Каган (скрипка)*
	Павел Верников (скрипка)
Фирма / Год издания	*Юрий Башмет (альт)*
Live Classics / 2000	*Наталья Гутман (виолончель)*
	Юри Парвиайнен (контрабас)
	Эдуард Бруннер (кларнет)
	Валерий Попов (фагот)
	Радован Влаткович (валторна)

Ф.Шуберт
СОНАТА ЛЯ МИНОР «АРПЕДЖИОНЕ» D. 821 ДЛЯ АЛЬТА
И Ф-НО
И.Стравинский
«РУССКАЯ ПЕСНЯ» ДЛЯ АЛЬТА И Ф-НО
А.Чайковский
КОНЦЕРТ №1 ДЛЯ АЛЬТА С ОРКЕСТРОМ
Ш.Берио
«БАЛЕТНЫЕ СЦЕНЫ» ДЛЯ АЛЬТА С ОРКЕСТРОМ

Год записи	Исполнители
1986	*Юрий Башмет (альт)*
	Михаил Мунтян (ф-но)
Фирма / Год издания	*Государственный Симф.*
	оркестр СССР
Мелодия / 1992	*Дир. Валерий Гергиев*

А.Шнитке
КОНЦЕРТ ДЛЯ АЛЬТА С ОРКЕСТРОМ СОЧ.1985

Год записи	Исполнители
1987	*Юрий Башмет (альт)*
	Министерства культуры СССР
Фирма / Год издания	*Дир. Геннадий Рождественский*
Мелодия / 1989, 1990	

«Музыканты для Армении»
(СБОРНЫЙ КОНЦЕРТ В ПОМОЩЬ ЖЕРТВАМ
ЗЕМЛЕТРЯСЕНИЯ)
В.А.Моцарт
КОНЦЕРТНАЯ СИМФОНИЯ ДЛЯ СКРИПКИ И АЛЬТА
МИ-БЕМОЛЬ МАЖОР К.364, 2-я ЧАСТЬ (В АНСАМБЛЕ С ЧО
ЛИАНГ ЛИНЕМ)

Год записи	Исполнители
1988	*Юрий Башмет (альт)*
	Барри Дуглас (ф-но)
Фирма / Год издания	*Джеймс Галуэй (флейта)*
RCA/BMG / 1989	*Андрей Гаврилов (ф-но)*
	Чо Лианг Линь (скрипка)
	Мстислав Ростропович (ф-но)
	Галина Вишневская (сопрано)
	Английский камерный оркестр
	Дир. Андре Превэн

Г.Берлиоз
«ГАРОЛЬД В ИТАЛИИ». СИМФОНИЯ С СОЛИРУЮЩИМ
АЛЬТОМ

Год записи	Исполнители
1988	*Юрий Башмет (альт)*
	Симфонический оркестр
Фирма / Год издания	*Франкфуртского радио*
PCM DIGITAL DENON/	*Дир. Элиаху Инбал*
1989	

А.Эшпай
КОНЦЕРТ ДЛЯ АЛЬТА С ОРКЕСТРОМ. СОЧ.1988

Год записи	Исполнители
1988	*Юрий Башмет (альт)*
	Государственный Симф.
Фирма / Год издания	*оркестр СССР*
Мелодия / 1989	*Дир. Федор Глущенко*

У.Уолтон
КОНЦЕРТ ДЛЯ АЛЬТА С ОРКЕСТРОМ (1929/62)

Год записи	Исполнители
1988	*Юрий Башмет (альт)*
	Симф. оркестр Министерства
Фирма / Год издания	*культуры СССР*
Revelation / 1996	*Дир. Геннадий Рождественский*

Г.Канчели
«ОПЛАКАННЫЙ ВЕТРОМ». ЛИТУРГИЯ ДЛЯ БСО И СОЛИРУЮ-
ЩЕГО АЛЬТА (1984)

Год записи	Исполнители
1988	*Юрий Башмет (альт)*
	Грузинский Симфонический
Фирма / Год издания	*оркестр*
BMG Music / Melodya	*Дир. Джансуг Кахидзе*
1997	

Ф.Шуберт
ТРИО СИ-БЕМОЛЬ ДЛЯ СКРИПКИ, АЛЬТА И ВИОЛОНЧЕЛИ
МАЖОР D. 581
ТРИО СИ-БЕМОЛЬ МАЖОР D. 471 ДЛЯ СКРИПКИ, АЛЬТА
И ВИОЛОНЧЕЛИ
Л.Бетховен
СЕРЕНАДА РЕ МАЖОР ДЛЯ СКРИПКИ, АЛЬТА И ВИОЛОНЧЕ-
ЛИ, СОЧ. 8

Год записи	**Исполнители**
1988	*Олег Каган (скрипка)*
	Юрий Башмет (альт)
Фирма / Год издания	*Наталья Гутман (виолончель)*
Live Classics / 1994	

Л.Бетховен
ТРИО СОЛЬ МАЖОР ДЛЯ СКРИПКИ, АЛЬТА И ВИОЛОНЧЕЛИ,
СОЧ. 9, №1
ТРИО ДО МИНОР ДЛЯ СКРИПКИ, АЛЬТА И ВИОЛОНЧЕЛИ,
СОЧ. 9, №3

Год записи	**Исполнители**
1988,	*Олег Каган (скрипка)*
1982	*Юрий Башмет (альт)*
	Наталья Гутман (виолончель)
Фирма / Год издания	
Live Classics / 1994	

И.Брамс
СОНАТА №1 ФА МИНОР, СОЧ. 120 — 2-я ЧАСТЬ
СОНАТА №2 МИ-БЕМОЛЬ МАЖОР ДЛЯ АЛЬТА
И Ф-НО, СОЧ. 120
В.А.Моцарт
КОНЦЕРТНАЯ СИМФОНИЯ МИ-БЕМОЛЬ МАЖОР К.364 ДЛЯ
СКРИПКИ И АЛЬТА (2-я, и 3-я ЧАСТИ)

Год записи	Исполнители
1989	*Юрий Башмет (альт)*
	Валерий Афанасьев (ф-но)
Фирма / Год издания	*Филипп Хиршхорн (скрипка)*
Camerino Music festival /*«Солисты Москвы»*	
1990	
Подарочное издание	

И.Брамс
ТРИО ЛЯ МИНОР ДЛЯ Ф-НО, АЛЬТА
И ВИОЛОНЧЕЛИ, СОЧ. 114
ДВЕ СОНАТЫ ДЛЯ ВИОЛОНЧЕЛИ И Ф-НО

Год записи	Исполнители
1989	*Кристоф Эшенбах (ф-но)*
	Юрий Башмет (альт)
Фирма / Год издания	*Наталья Гутман (виолончель)*
Live Classics / 2002	

Г.Берлиоз
«ГАРОЛЬД В ИТАЛИИ». СИМФОНИЯ С СОЛИРУЮЩИМ
АЛЬТОМ

Год записи	Исполнители
1989	*Юрий Башмет (альт)*
	БСО Всесоюзного ТВ и Радио
Фирма / Год издания	*Дир. Владимир Федосеев*
Melodya / 1991	

А.Шнитке
КОНЦЕРТ ДЛЯ АЛЬТА С ОРКЕСТРОМ
А.Шнитке
ТРИО-СОНАТА ДЛЯ СТРУННОГО ОРКЕСТРА (ПЕРЕЛОЖЕНИЕ
Ю. БАШМЕТА)

Год записи	Исполнители
1990	*Юрий Башмет (альт)*
1988	*Лондонский симфонический*
	оркестр
Фирма / Год издания	*Дир. Мстислав Ростропович*
BMG / RCA /	*«Солисты Москвы»*
1991, 1994	*Дир. Юрий Башмет*

П.Чайковский
СЕРЕНАДА ДЛЯ СТРУННОГО ОРКЕСТРА ДО МАЖОР, СОЧ. 48
Э.Григ
СЮИТА «ИЗ ВРЕМЁН ХОЛБЕРГА», СОЧ. 40
Э.Григ
ДВА НОРВЕЖСКИХ ТАНЦА, СОЧ. 63

Год записи
1990

Исполнители
«Солисты Москвы»
Дир. Юрий Башмет

Фирма / Год издания
BMG / RCA / 1989

Ф. Шуберт
СОНАТА ЛЯ МИНОР «АРПЕДЖИОНЕ» D. 821
Р.Шуман
СКАЗОЧНЫЕ КАРТИНКИ ДЛЯ АЛЬТА И Ф-НО, СОЧ. 113
Р.Шуман
ADAGIO & ALLEGRO ДЛЯ АЛЬТА И Ф-НО, СОЧ. 70
М.Брух
KOL NIDREI ДЛЯ АЛЬТА И Ф-НО, СОЧ. 47
Дж.Энеско
КОНЦЕРТНАЯ ПЬЕСА

Год записи
1990

Исполнители
Юрий Башмет (альт)
Михаил Мунтян (ф-но)

Фирма / Год издания
BMG / RCA / 1990

М.Регер
СЮИТА №1 СОЛЬ МИНОР ДЛЯ АЛЬТА И СТРУННЫХ.
СОЧ. 131D (ОБР. В. ПОЛТОРАЦКОГО)
Б.Бриттен
«ЛАКРИМЕ» ДЛЯ АЛЬТА И СТРУННЫХ
П.Хиндемит
«ТРАУРНАЯ МУЗЫКА» ДЛЯ АЛЬТА И СТРУННЫХ
А.Шнитке
«МОНОЛОГ» ДЛЯ АЛЬТА И СТРУННЫХ

Год записи	**Исполнители**
1991	*Юрий Башмет (альт)*
	«Солисты Москвы»

Фирма / Год издания
BMG / RCA / 1990

Ф.Шуберт — Г.Малер
«ДЕВУШКА И СМЕРТЬ» (КВАРТЕТ РЕ МИНОР D. 810)
Л.Бетховен — Г.Малер
КВАРТЕТ ФА МИНОР, СОЧ .95

Год записи	**Исполнители**
1991	*«Солисты Москвы»*
	Дир. Юрий Башмет

Фирма / Год издания
BMG / RCA / 1992

М.Глинка
СОНАТА ДЛЯ АЛЬТА И Ф-НО
Н.Рославец
СОНАТА №1 ДЛЯ АЛЬТА И Ф-НО
Д.Шостакович
СОНАТА ДЛЯ АЛЬТА И Ф-НО. СОЧ. 147А

Год записи	**Исполнители**
1991	*Юрий Башмет (альт)*
	Михаил Мунтян (ф-но)
Фирма / Год издания	
BMG / RCA / 1992	

«Новые имена»
(КОНЦЕРТ МОЛОДЫХ ТАЛАНТОВ РОССИИ В ЮНЕСКО)
П. Чайковский
СЕРЕНАДА ДЛЯ СТРУННОГО ОРКЕСТРА ДО МАЖОР (1-я ЧАСТЬ)
Д.Шостакович
СКЕРЦО ДЛЯ СТРУННЫХ, СОЧ. 11
Д.Шостакович
КОНЦЕРТ №1 ДЛЯ Ф-НО С ОРКЕСТРОМ (3-я и 4-я ЧАСТИ)
Й.Гайдн
КОНЦЕРТ ДЛЯ ВИОЛОНЧЕЛИ С ОРКЕСТРОМ №1 (1-я ЧАСТЬ)
В.А. Моцарт
КОНЦЕРТ ДЛЯ КЛАРНЕТА С ОРКЕСТРОМ

Год записи	**Исполнители**
1992	*Оркестр Московской консерватории*
Фирма / Год издания	*Дир. Юрий Башмет*
Forlane (France) / 1993	*Солисты — стипендиаты программы «Новые имена» Российского фонда культуры*

И.С. Бах
КОНЦЕРТЫ РЕ МАЖОР BWV. 1054
И СОЛЬ МИНОР BWV. 1058 ДЛЯ Ф-НО С ОРКЕСТРОМ
В.А.Моцарт
КОНЦЕРТ ДО МАЖОР К.503 ДЛЯ Ф-НО С ОРКЕСТРОМ

Год записи	Исполнители
1993	*Святослав Рихтер (ф-но)*
	Оркестр Падуи и Венеции
Фирма / Год издания	*Дир. Юрий Башмет*
TELDEK / 1996	

У.Уолтон
КОНЦЕРТ ДЛЯ АЛЬТА С ОРКЕСТРОМ
М.Брух
КОНЦЕРТ ДЛЯ СКРИПКИ И АЛЬТА С ОРКЕСТРОМ, СОЧ. 88
РОМАНС ДЛЯ АЛЬТА С ОРКЕСТРОМ, СОЧ. 85
KOL NIDREI ДЛЯ АЛЬТА С ОРКЕСТРОМ, СОЧ. 47

Год записи	Исполнители
1994	*Юрий Башмет (альт)*
1996	*Лондонский Симф. оркестр*
	Дир. Андре Превэн
Фирма / Год издания	*Виктор Третьяков (скрипка)*
BMG / RCA /1998	*Юрий Башмет (альт)*
	Лондонский симф. оркестр
	Дир. Нееми Ярви

И.Брамс
ДВЕ СОНАТЫ ДЛЯ АЛЬТА И ФОРТЕПИАН. СОЧ. 120
ДВЕ ПЕСНИ ДЛЯ МЕЦЦО-СОПРАНО, АЛЬТА И Ф-НО. СОЧ. 91

Год записи	**Исполнители**
1995	*Юрий Башмет (альт)*
	Михаил Мунтян (ф-но)
Фирма / Год издания	*Лариса Дядькова (сопрано)*
BMG / RCA / 1999	

А.Шнитке
ТРИО ДЛЯ СКРИПКИ, АЛЬТА И ВИОЛОНЧЕЛИ
Берг — Шнитке
КАНОН ДЛЯ СКРИПКИ И СТРУННЫХ
А.Шнитке
«КОНЦЕРТ НА ТРОИХ»
МЕНУЭТ ДЛЯ СКРИПКИ, АЛЬТА И ВИОЛОНЧЕЛИ

Год записи	**Исполнители**
1995	*Гидон Кремер (скрипка)*
	Юрий Башмет (альт)
Фирма / Год издания	*Мстислав Ростропович*
EMI classics / 1996	*(виолончель)*
	«Солисты Москвы»

И.Брамс

СОНАТА №1 ФА МИНОР ДЛЯ АЛЬТА И Ф-НО, СОЧ.120
ДВЕ ПЕСНИ ДЛЯ МЕЦЦО-СОПРАНО, АЛЬТА И Ф-НО, СОЧ. 91
СОНАТА № 3 РЕ МИНОР ДЛЯ СКРИПКИ И Ф-НО

Год записи	**Исполнители**
1996	*Юрий Башмет (альт)*
	Томоко Мазур (сопрано)
Фирма / Год издания	*Олег Каган (скрипка)*
Live Classics /1996	*Василий Лобанов*
	(фортепиано)

«Карнавал !!!»

К. СЕН-САНС «КАРНАВАЛ ЖИВОТНЫХ»

Год записи	**Исполнители**
1996	*Катя и Мари Лебек (ф-но)*
	Виктория Муллова (скрипка)
Фирма / Год издания	*Юрий Башмет (альт)*
BMG / RCA / 1997	*Миша Майский (виолончель)*
	Гэри Карр (контрабас)...etc.
+ поп-музыка	*Стинг, Мадонна,*
	Элтон Джон...etc.

Б.Бриттен
КОНЦЕРТ ДЛЯ СКРИПКИ И АЛЬТА С ОРКЕСТРОМ, СОЧ. 1932
ДВА ПОРТРЕТА. СОЧ. 1930

Год записи	Исполнители
1998	*Гидон Кремер (скрипка)*
	Юрий Башмет (альт)
Фирма / Год издания	*Халле оркестр*
Эрато / 1999	*Дир. Кент Нагано*

И.Гайдн
ДВА КОНЦЕРТА ДЛЯ ВИОЛОНЧЕЛИ С ОРКЕСТРОМ

Год записи	Исполнители
1998	*Анна Гастинель (виолончель)*
	«Солисты Москвы»
Фирма / Год издания	*Дир. Юрий Башмет*
Auvidis Valois (France) /	
1998	

И.Брамс
КВИНТЕТ СИ-БЕМОЛЬ МАЖОР, СОЧ. 115
(ПЕР. ДЛЯ АЛЬТА И СТРУННЫХ ЮРИЯ БАШМЕТА.
РЕД. ПАРТИИ КОНТРАБАСА ЮРИЯ ГОЛУБЕВА)
Д.Шостакович
«ТРИНАДЦАТЫЙ»
(ПЕРЕЛОЖ. СТРУННОГО КВАРТЕТА №13
ДЛЯ АЛЬТА И СТРУННЫХ, СОЧ. 138 А.ЧАЙКОВСКОГО)

Год записи	**Исполнители**
1998	*Юрий Башмет (альт)*
	«Солисты Москвы»
Фирма / Год издания	
SONY Classical /	
1998	

И.С.Бах
БРАНДЕНБУРГСКИЙ КОНЦЕРТ №6, BWV. 1051
Г.Корчмар
КОНЦЕРТ-ПАРАФРАЗ НА ТЕМЫ БРАНДЕНБУРГСКОГО
КОНЦЕРТА №6 И.С.БАХА
Р.Леденёв
МЕТАМОРФОЗЫ ТЕМЫ И.С.БАХА ИЗ «СТРАСТЕЙ
ПО МАТФЕЮ»

Год записи	**Исполнители**
1999	*Юрий Башмет (альт)*
	«Солисты Москвы»
Фирма / Год издания	
Kuhmo Music Society /	
1999	

Сборник австрийской певицы Анжелики Киршлагер
И.БРАМС. ДВЕ ПЕСНИ ДЛЯ МЕЦЦО-СОПРАНО, АЛЬТА
И Ф-НО, СОЧ. 91

Год записи	**Исполнители**
1999	*Анжелика Киршлагер (сопрано)*
	Юрий Башмет (альт)
Фирма / Год издания	*Хельмут Дойч (ф-но)*
SONY Classical /	
1999	

И.Райхельсон
JAZZ-СЮИТА ДЛЯ САКСОФОНА, АЛЬТА И Ф-НО
С ОРКЕСТРОМ

Год записи	**Исполнители**
2001	*Игорь Бутман (саксофон)*
	Юрий Башмет (альт)
Фирма / Год издания	*Игорь Райхельсон (ф-но)*
Impromptu	*«Солисты Москвы»*
Records Inc /	
2002	
Подарочное издание	

Г.Канчели
«СТИКС», СОЧ. 1999
С.Губайдулина
КОНЦЕРТ ДЛЯ АЛЬТА С ОРКЕСТРОМ (СОЧ. 1996)

Год записи	**Исполнители**
2001	*Юрий Башмет (альт)*
	Оркестр
Фирма / Год издания	*и хор Мариинского театра*
Deutsche	*Дир. Валерий Гергиев*
Grammophon /	
2002	

И.Брамс
КВАРТЕТ №1 СОЛЬ МИНОР
ДЛЯ Ф-НО, СКРИПКИ, АЛЬТА И ВИОЛОНЧЕЛИ, СОЧ. 25
Р.Шуман
«ФАНТАСТИЧЕСКИЕ ПЬЕСЫ»
ДЛЯ Ф-НО, СКРИПКИ И ВИОЛОНЧЕЛИ, СОЧ. 88

Год записи	**Исполнители**
2002	*Марта Аргерих (ф-но)*
	Гидон Кремер (скрипка)
Фирма / Год издания	*Юрий Башмет (альт)*
Deutsche	*Миша Майский (виолончель)*
Grammophon /	
2002	

Э.Лолашвили

АДАЖИО «NOSTALGIE» ДЛЯ АЛЬТА И СТРУННЫХ

Год записи
2002

Исполнители
Юрий Башмет (альт)
«Солисты Москвы»

Фирма / Год издания
МДМ Банк /
2002
Подарочное издание

*Произведения для альта
и симфонического оркестра*

1.	**Г.Берлиоз**	«Гарольд в Италии». — Симфония с солирующим альтом, соч.16
2.	**Б.Барток**	Концерт для альта с оркестром (соч.1945)
3.	**И.Брамс— Л.Берио**	Соната №1 фа минор для альта с оркестром, соч. 120
4.	**Б.Бриттен**	Концерт для скрипки и альта с оркестром (соч. 1932)
5.	**М.Брух**	Романс для альта с оркестром, соч. 85
6.	**М.Брух**	Kol Nidrei для альта с оркестром, соч. 47
7.	**М.Брух**	Концерт для кларнета (или скрипки) и альта с оркестром, соч. 88
8.	**В.Баркаускас.**	Концерт для альта с оркестром (соч.1984, посв. Ю.Башмету)
9.	**А.Головин**	Концертная симфония №2 для альта и фортепиано с оркестром (соч. 1981, посв. Ю. Башмету и М.Мунтяну)
10.	**А.Головин**	Концерт-Симфония для альта и виолончели с оркестром (соч. 1974, посв. Ю.Башмету и И.Фигельсону)
11.	**С.Губайдулина**	Концерт для альта с оркестром (соч. 1996, посв. Ю.Башмету)
12.	**Э.Денисов**	Концерт для альта с оркестром (соч. 1986, посв. Ю.Башмету)
13.	**М.Ермолаев**	Концерт для альта с оркестром, соч. 8 (соч. 1980, посв. Ю.Башмету)
14.	**Г.Канчели**	«Стикс» для альта, хора и оркестра (соч. 1999, посв. Ю.Башмету)
15.	**Г.Канчели**	Литургия «Оплаканный ветром» (соч. 1984-90, посв. Ю.Башмету)
16.	**В.Каллистратов**	Концерт для альта с оркестром (соч.1972, посв. Ю.Башмету)
17.	**М. Копытман**	Cantus V для альта с оркестром (соч.1988)
18.	**Р.Леденёв**	Концерт-поэма для альта и струнных, соч. 13 (1963/64)

19.	**А.Паттерсон**	Концерт для альта с оркестром (соч.1979)
20.	**М.Плетнёв**	Концерт для альта с оркестром (соч. 1998, посв. Ю.Башмету)
21.	**И.Райхельсон**	Сюита для альта, саксофона и фортепиано с оркестром (соч. 1998, посв. Ю.Башмету и И.Бутману)
22.	**И.Райхельсон**	Концерт для скрипки, альта и фортепиано с оркестром (соч. 2000, посв. Ю.Башмету и Е.Ревич)
23.	**П. Рудерс**	«Laudate» для альта с оркестром (соч. 1994, посв. Ю.Башмету)
24.	**Дж.Тавенер**	«The Myth Bearer» для альта и смешанного хора (соч. 1993, посв. Ю.Башмету)
25.	**М.Турнейдж**	«On Opend Ground» (соч. 2001, посв. Ю.Башмету)
26.	**Т. Такемицу**	«Strings around the Autumn» (соч. 1989)
27.	**У.Уолтон**	Концерт для альта с оркестром (соч. 1929)
28.	**М.Фельдман**	Viola in my life III (соч. 1970-71)
29.	**А.Шнитке**	Концерт для альта с оркестром (соч. 1985, посв. Ю.Башмету)
30.	**А.Чайковский**	«Гарольд в России» — баллада для альта и симф. оркестра (соч.1995-96, посв. Ю.Башмету)
31.	**А.Чайковский**	Концерт №1 для альта с оркестром (соч. 1980, посв. Ю.Башмету)
32.	**А.Чайковский**	«Этюды в простых тонах для альта с оркестром», соч. 53 (соч. 1999, посв. Ю.Башмету)
33.	**А.Эшпай**	Концерт для альта с оркестром (соч. 1987, посв. Ю.Башмету)

*Произведения для альта
(или скрипки)
и камерного оркестра*

| 1. | **И.С.Бах** | Бранденбургский концерт №6 BWV. 1051 для двух альтов |
| 2. | **И.С.Бах** | Бранденбургский концерт №7 BWV. 1029а для двух альтов (реконструкция) |

3. **И.С.Бах**	Концерт ре минор BWV. 1043 для 2-х скрипок
4. **И.С.Бах**	Концерт ми-бемоль мажор BWV. 196,49, 1053 для альта с оркестром (реконструкция)
5. **Й.Бенда**	«Граве» для альта и струнных
6. **И.Брамс**	Квинтет, соч.115 (переложение для альта и струнных Ю.Башмета)
7. **Б.Бриттен**	«Lachrymae» для альта и струнных, соч.48a
8. **Б.Бриттен**	Два портрета (соч. 1930)
9. **Ш.Берио**	«Балетные сцены» для альта с оркестром
10. **А.Вивальди**	Концерт ре минор для альта и гитары с оркестром
11. **А.Враницкий**	Концерт до мажор для двух альтов с оркестром
12. **К.Вебер**	Андате и Венгерское рондо, соч.35
13. **Г.Гендель — Р.Казадезюс**	Концерт для альта с оркестром си минор
14. **М.Гайдн**	Концерт до мажор для альта и клавесина с оркестром
15. **К.Диттерсдорф**	Концертная симфония для альта и контрабаса с оркестром
16. **Э.Денисов**	Камерная музыка для альта, клавесина и струнных (соч. 1982, посв. Ю.Башмету)
17. **Г.Корчмар**	Концерт-Парафраз для двух альтов на темы Бранденбургского концерта Баха №6 (соч. 1985)
18. **Г.Канчели**	Abii ne viderem для альта, фортепиано и струнных (соч. 1992-94)
19. **В.Кахидзе**	Брудершафт для альта и фортепиано с оркестром (соч. 1995, посв. Ю.Башмету)
20. **Э.Лолашвили**	Адажио «Nostalgie» для альта и струнных (соч. 2002)
21. **Р.Леденёв**	«Скорбь и Просветление» для альта и струнных (соч. 2000)
22. **Р.Леденёв**	Метаморфозы темы Баха для альта и струнных (соч. 1995, посв. Ю.Башмету)

23.	**В.Лобанов**	Концерт для альта и струнного оркестра (соч. 1990, посв. Ю.Башмету)
24.	**В.Моцарт**	Концертная симфония ми-бемоль мажор К.364 для скрипки и альта с оркестром
25.	**В.Моцарт**	Концертная симфония ля мажор для скрипки, альта и виолончели с оркестром (неоконченная)
26.	**Н.Паганини**	Большая соната для альта и струнных
27.	**Н.Паганини**	Концерт ля минор (реконструкция Р.Балашова и Г.Каца)
28.	**А.Раскатов**	«Urlied» для альта и струнных (соч. 1996)
29.	**М.Регер-В.Полторацкий**	Концерт для альта и струнных соль минор
30.	**А.Ролла**	Анданте и тема с вариациями для альта с оркестром
31.	**К.Стамиц**	Концертная симфония ре мажор для скрипки и альта с оркестром
32.	**Т.Такемицу**	«Ностальгия» для скрипки и струнных (соч.1987)
33.	**Г.Телеман**	Концерт соль мажор для альта с оркестром
34.	**Г.Телеман**	Концерт соль мажор для 2-х альтов с оркестром
35.	**Х.Турина**	«Андалузская сцена» для альта, ф-но и струнных
36.	**Ф.Хофмайстер**	Концерт №1 ре мажор для альта с оркестром
37.	**П.Хиндемит**	«Траурная музыка» для альта и струнных
38.	**П.Чайковский**	Анданте кантабиле для альта и струнных
39.	**А.Чайковский**	«От Петрушки до Пульчинеллы» — фантазия на темы балетов И.Стравинского для альта, фортепиано и струнных, соч. 55 (соч. 1994, посв. Ю.Башмету)
40.	**Д.Шостакович**	«Тринадцатый» (обр. А.Чайковским Струнного квартета №13)
41.	**А.Шнитке**	Монолог для альта и струнных (соч. 1989, посв. Ю.Башмету)
42.	**А.Шнитке**	«Концерт на троих» для скрипки, альта и виолончели (соч.1994, посв. Г.Кремеру, Ю.Башмету и М.Ростроповичу)

43. **Р.Щедрин**	Кончерто-Дольче для альта с оркестром (соч. 1997, посв. Ю.Башмету)

Произведения для альта соло

1. **И.С.Бах**	Чакона BWV. 1004
2. **И.С.Бах**	Сюита №1 соль мажор BWV. 1007 для виолончели соло
3. **И.С.Бах**	Прелюдия и фуга из Сюиты №5 до минор BWV. 1011 для виолончели соло
4. **М. Регер**	Сюита №1 соль минор для альта соло, соч. 131d
5. **И. Стравинский**	Элегия

Произведения для альта и фортепиано и камерные ансамбли

1. **И.С.Бах**	Соната №3 соль минор BWV. 1029 для виолы да гамба и клавесина
2. **Б.Барток— У.Примроуз**	44 дуэта для двух альтов
3. **Дж.Бенджамен**	«Viola, Viola» — дуэт для двух альтов (соч. 1997)
4. **Л.Бетховен**	Ноктюрн для альта и фортепиано, соч.40
5. **Л.Бетховен**	Серенада соль мажор для скрипки, альта и виолончели, соч. 8
6. **Л.Бетховен**	Серенада соль мажор для флейты, скрипки и альта, соч. 25
7. **Л.Бетховен**	Трио соль мажор №1 для скрипки, альта и виолончели, соч. 9
8. **Л.Бетховен**	Квартет ми-бемоль мажор для ф-но, скрипки, альта и виолончели, соч. 16
9. **И.Брамс**	Две сонаты для альта и фортепиано, соч. 120
10. **И.Брамс**	Две песни для контральто, альта и фортепиано, соч. 91

11.	**И.Брамс**	Скерцо
12.	**И.Брамс**	Трио ля минор для альта, виолончели и фортепиано, соч. 114
13.	**И.Брамс**	Трио ми-бемоль мажор для альта, виолончели и ф-но, соч. 40
14.	**И.Брамс**	Струнный квинтет, соч. 111
15.	**И.Брамс**	Струнный секстет №1 си-бемоль мажор
16.	**И.Брамс**	Струнный секстет №2 соль мажор
17.	**И.Брамс**	Квартет №1 соль минор для ф-но, скрипки, альта и виолончели, соч. 25
18.	**И.Брамс**	Квартет №3 до минор для ф-но, скрипки, альта и виолончели, соч. 60
19.	**М.Брух**	8 пьес для альта, кларнета и фортепиано, соч. 83
20.	**Ф.Гендель — Х.Хальворсен**	Пассакалия для скрипки и альта
21.	**А.Головин.**	Соната breve для альта и фортепиано (соч. 1979, посв. Ю.Башмету и М.Мунтяну)
22.	**М.Глинка**	Соната для альта и фортепиано (неоконченная)
23.	**А.Дворжак**	Фортепианный квартет Es dur, соч. 87
24.	**К.Дебюсси**	Соната для флейты, альта и арфы
25.	**Ж.Леклер**	Шесть сонат для двух альтов, соч. 12
26.	**М.Марэ**	Сюита ре минор для альта и фортепиано
27.	**М.Марэ**	Пять старинных французских танцев для альта и фортепиано
28.	**Ф.Мендельсон**	Соната до минор для альта и фортепиано
29.	**В.Моцарт**	Трио ми-бемоль мажор К. 498 для кларнета, альта и фортепиано
30.	**В.Моцарт**	Дуэт №1 соль мажор К. 423 для скрипки и альта
31.	**В.Моцарт**	Дуэт №2 си-бемоль мажор К. 424 для скрипки и альта
32.	**А.Оннегер**	Соната для альта и фортепиано
33.	**С.Прокофьев— В.Борисовский**	«Сцена прощания и смерть Джульетты»

34.	**А.Раскатов**	Соната для альта и фортепиано (соч.1987-88, посв. Ю.Башмету)
35.	**М.Равель— В.Борисовский**	«Павана на смерть инфанты»
36.	**Н.Рославец**	Соната для альта и фортепиано №1
37.	**И.Стравинский— С.Душкин**	«Русская песня» из оперы «Мавра»
38.	**Т.Такемицу**	«Птичка, спустившаяся на прогулку»
39.	**П.Хиндемит**	Соната для альта и фортепиано, соч. 11, №4
40.	**Д.Шостакович**	Соната для альта и фортепиано, соч. 147 bis
41.	**Ф.Шуберт**	Соната ля минор «Арпеджионе» для альта и фортепиано
42.	**Ф.Шуберт**	Трио №1 си-бемоль мажор D. 471 для скрипки, альта и виолончели
43.	**Ф.Шуберт**	Трио №2 си-бемоль мажор D. 581 для скрипки, альта и виолончели
44.	**Ф.Шуберт**	Forellen-квинтет, соч. 114
45.	**К.Шуман**	Романс для альта и фортепиано, соч. 22
46.	**Р.Шуман**	Адажио и аллегро для альта и фортепиано, соч. 70
47.	**Р.Шуман**	Сказочные картины для альта и фортепиано, соч. 113
48.	**Р.Шуман**	Сказочные повествования для альта, кларнета и фортепиано, соч. 132
49.	**Р.Шуман**	Квартет ми-бемоль мажор для ф-но, скрипки, альта и виолончели, соч. 47
50.	**П.Чайковский**	«Воспоминание о Флоренции», соч. 70
51.	**А.Чайковский**	Траурная павана для 5 альтов (соч. 1990, посв. Ю.Башмету)
52.	**А.Шнитке**	Струнное трио (соч. 1985)
53.	**Д.Шостакович**	Струнный квартет №2, соч. 68
54.	**Д.Шостакович**	Струнный квартет №8, соч. 110
55.	**Д.Шостакович**	Струнный квартет №9, соч. 117

Репертуарный список
Юрия Башмета — дирижера

1. **И.С.Бах** — Сюита №1 до мажор BWV. 1066

2. **И.С.Бах** — Сюита N2 си минор BWV. 1067.

3. **И.С.Бах** — Концерт реминор BWV. 1043
для 2-х скрипок

4. **И.С.Бах** — Концерт №1 ля минор BWV. 1041
для скрипки с оркестром

5. **И.С.Бах** — Концерт №2 ми мажор для скрипки
с оркестром BWV. 1042

6. **И.С.Бах** — Концерт №1 ре минор BWV. 1052
для ф-но и струнных

7. **И.С.Бах** — Концерт №5 фа минор BWV. 1056 для ф-но
с оркестром

8. **И.С.Бах** — Концерт ре мажор BWV. 1063 для 3-х скрипок с оркестром

9. **И.С.Бах** — Концерт до минор BWV. 1060 для гобоя
и скрипки с оркестром

10. **И.С.Бах** — Кантата «Ach Gott, wie manches Herzeleid»
BWV. 58

11. **И.С.Бах** — Кантата «Herr, wie du willt» BWV. 73

12. **И.С.Бах** — Кантата «Jch habe genung» BWV. 82

13. **И.С.Бах** — Магнификат BWV. 243

14. **И.С.Бах** — Фуга соль минор BWV. 542
(обр. К.Маздар)

15. **И.К.Бах** — Концертная симфония ля мажор
для скрипки и виолончели с оркестром

16. **Г.Берлиоз** — «Гарольд в Италии»

17. **Л.Бетховен—
Г.Малер** — Квартет фа минор, соч. 95

18. **Л.Бетховен** — Большая фуга, соч. 133

19. **Б.Бриттен** — Два портрета (соч. 1930)

20. **Б.Барток** — Дивертисмент для струнных (соч. 1940)

21. **Э.Блох** — Кончерто Гроссо №1 (соч. 1924)

22. **И.Брамс** — Концерт для скрипки с оркестром, соч. 77

23. **А.Веберн** — Langsamer satz (соч. 1905)

24. **А.Вивальди** — «Времена года»

25.	Дж.Доуленд	Сюита «Семь Слёз» (соч. 1605)
26.	Э.Денисов	«Happy end» для 2-х скрипок, виолончели, контрабаса и струнного оркестра (соч.1985)
27.	Ф.Данци	Концерт для флейты и кларнета с оркестром, соч. 41
28.	Г.Доницетти	Концерт ре минор для скрипки и виолончели с оркестром
29.	Г.Доницетти	Опера «Дочь полка»
30.	Й.Гайдн	Симфония №49 «Passiona» фа минор
31.	Й.Гайдн	Концерт ре мажор для ф-но с оркестром
32.	Й.Гайдн	Концерт до мажор для виолончели с оркестром
33.	Й.Гайдн	Концерт ре мажор для виолончели с оркестром
34.	Й.Гайдн	«Семь слов Спасителя на кресте», соч. 51
35.	Й.Гайдн	Концерт до мажор для скрипки с оркестром
36.	А.Глазунов	Концерт ми-бемоль мажор для саксофона и струнных, соч. 109
37.	Э.Григ	Сюита «Из времен Холберга», соч. 40
38.	Э.Григ	«Две элегические мелодии», соч. 34
39.	Э.Григ	«Два норвежских народных танца», соч. 63
40.	Й.Гуммель	Концерт ми-бемоль мажор для трубы и струнных
41.	С.Губайдулина	«Семь слов» — партита для виолончели, баяна и струнных
42.	А.Дворжак	Серенада для струнного оркестра, соч. 22
43.	Г.Канчели	«Время и снова» для струнного оркестра (обр. Ю.Башмета)
44.	Й.Краус	Симфония до минор (соч. 1783)
45.	А.Копленд	Концерт для кларнета с оркестром
46.	В.Лютославский	«Траурная музыка» для струнных
47.	Ф.Мендельсон	Симфония №4 «Итальянская», соч. 90
48.	Ф.Мендельсон	Симфония №12 соль минор для струнных
49.	Ф.Мендельсон	Симфония №10 си минор для струнных
50.	Ф.Мендельсон	Концерт для скрипки ф-но и струнных ре минор (соч. 1823)

51. **Ф. Мендельсон**	Концерт для скрипки и струнных ре минор
52. **В.Моцарт**	Дивертисмент №1 ре мажор К. 136
53. **В.Моцарт**	Концерт №9 ми-бемоль мажор для ф-но с оркестром К. 271
54. **В.Моцарт**	Концерт ми-бемоль мажор К. 365 для 2-х ф-но с оркестром
55. **В.Моцарт**	Концерт №12 ля мажор К. 414 для ф-но с оркестром
56. **В.Моцарт**	Концерт №13 до мажор К. 415 для ф-но с оркестром
57. **В.Моцарт**	Концерт №25 до мажор К. 503
58. **В.Моцарт**	Концерт №27 си-бемоль мажор К. 595 для ф-но с оркестром
59. **В.Моцарт**	Концерт №3 соль мажор К. 416 для скрипки с оркестром
60. **В.Моцарт**	Концерт №4 ре мажор К. 218 для скрипки с оркестром
61. **В.Моцарт**	Концерт №5 ля мажор К. 219 для скрипки с оркестром
62. **В.Моцарт**	Концерт ля мажор К. 622 для кларнета с оркестром
63. **В.Моцарт**	Концерт №2 ми-бемоль мажор К. 417 для валторны с оркестром
64. **В.Моцарт**	Концерт №3 ми-бемоль мажор К. 447 для валторны с оркестром
65. **В.Моцарт**	Концерт №4 ми-бемоль мажор К. 495 для валторны с оркестром
66. **В.Моцарт**	Симфония №29 ля мажор К. 201
67. **В.Моцарт**	Симфония №40 соль минор К. 550
68. **В. Моцарт**	Реквием К. 626
69. **В.Моцарт**	Большая месса до минор
70. **В.Моцарт**	Маленькая ночная серенада
71. **В.Моцарт**	Концерт до мажор К. 299 для флейты и арфы с оркестром
72. **В.Моцарт**	Концерт №1 соль мажор К. 313 для флейты с оркестром
73. **В.Моцарт**	Концерт №2 ре мажор К. 314 для флейты с оркестром

74.	В.Моцарт	Сюита из оперы «Волшебная флейта»
75.	В.Моцарт	Мотет «Exsultate, jubilate» K. 165
76.	Т.Мирзоян	Симфония для струнных и литавр
77.	К.Нильсен	Маленькая сюита, соч.1
78.	Ф.Телеман	Сюита «Дон Кихот»
79.	М.Равель	Интродукция и аллегро для арфы с оркестром
80.	Н.Рота	Концерт для струнных (соч. 1972)
81.	Дж.Россини	Stabat Mater
82.	Дж.Россини	Соната №3 до мажор для струнных
83.	Дж.Россини	Una Larme для виолончели с оркестром
84.	К. Сен-Санс	Концерт для виолончели с оркестром
85.	Г.Свиридов	Камерная симфония, соч. 14 (соч. 1940)
86.	Дж.Соллима	Violoncellez, vibrez! — Баллада для 2-х виолончелей и струнных (соч. 1993)
87.	К.Стамиц	Концерт соль мажор для флейты и струнных
88.	И.Стравинский	Аполлон Мусагет (соч. 1928, 47)
89.	И.Стравинский	Концерт для струнных in D (соч. 1946)
90.	Н.Паганини— Э.Денисов	Каприсы для скрипки и струнного оркестра
91.	Г. Перселл	Сюита из оперы «Королева фей»
92.	А.Пярт	Коллаж на тему BACH
93.	А.Пярт	Fratres (соч. 1977, 1992)
94.	А.Пярт	Stabat Mater
95.	А.Пярт	Cantus in memory of Britten (соч. 1980)
96.	А.Пярт	Ein Wallfahrtslied (Псалом 121 для муж. хора с орк.) (соч. 1984, 2001)
97.	О.Респиги	Andante con variazione для виолончели с оркестром (соч. 1921)
98.	Дж.Россини	Опера «Танкред»
99.	Дж.Россини	Опера «Путешествие в Реймс»
100.	Дж.Тавенер	«Protecting Veil» для виолончели и струнных

101.	Т.Такемицу	Три фрагмента из музыки к фильмам
102.	Т.Такемицу	«Путь одиночки» для струнного оркестра
103.	Т.Такемицу	«Ностальгия» памяти Андрея Тарковского
104.	Л.Харрисон	Концерт для пипа и струнного оркестра (соч. 1997)
105.	П.Чайковский	Серенада до мажор для струнного оркестра, соч. 48
106.	П.Чайковский	«Воспоминание о Флоренции», соч. 70
107.	П.Чайковский	Элегия памяти Самарина (соч. 1884)
108.	Д.Чимароза	Концерт соль мажор для флейты и гобоя с оркестром
109.	Д.Шостакович	Прелюдия и скерцо, соч. 11
110.	Д.Шостакович	Элегия и полька, соч. 36
111.	Д.Шостакович	Камерная симфония, соч. 110 bis
112.	Д.Шостакович	Концерт №1 для фортепиано с оркестром, соч. 35
113.	Д.Шостакович	Симфония №13, соч.113
114.	Д.Шостакович	Симфония №14 (соч. 1969)
115.	Э. Шоссон	Поэма для скрипки с оркестром
116.	С.Прокофьев — Р.Баршай	Мимолетности, соч. 22
117.	А.Шёнберг	Просветленная ночь, соч. 4
118.	Р.Штраус	«Метаморфозы» (соч. 1945)
119.	Р.Штраус	«Каприччио», соч. 85
120.	Р.Штраус	Дуэт-концертино для кларнета и фагота с оркестром (соч. 1949)
121.	А.Шнитке — Ю.Башмет	Трио-Соната (соч. 1985)
122.	А.Шнитке	Концерт для ф-но и струнных (соч. 1979)
123.	А.Шнитке	Moz-Art á la Haydn (соч. 1977)
124.	А.Шнитке	Concerto Grosso №1 (соч. 1976-77)
125.	А.Шнитке	Соната №1 для скрипки с оркестром (соч. 1963-68)
126.	Ф.Шуберт — В.Кисин	Симфония соль мажор для струнных, соч. 161 bis

СОДЕРЖАНИЕ

ЮРИЙ БАШМЕТ

Вокзал мечты

Редактор *Е.Д. Шубина*
Младший редактор *О.В. Решетникова*
Художественный редактор *С.А. Виноградова*
Технолог *С.С. Басипова*
Компьютерная верстка обложки и блоков иллюстраций *В.М. Драновский*
Оператор компьютерной верстки *М.Е. Басипова*
Корректор *Е.В. Рудницкая*

Издательская лицензия № 065676 от 13 февраля 1998 года.
Подписано в печать 25.12.2002. Формат 84 × 108/32.
Гарнитура GaramondC. Печать высокая.
Объем 8,5 печ. л. Тираж 10 000 экз.
Изд. № 1815. Заказ № 2877.

Издательство «ВАГРИУС»
129090, Москва, ул. Троицкая, 7/1

Получить подробную информацию о наших книгах и планах,
авторах и художниках, истории издательства,
ознакомиться с фрагментами книг;
высказать свои пожелания и задать интересующие вас вопросы
вы можете, посетив сайт издательства в сети
Интернет: http://www.vagrius.com; http://www.vagrius.ru;
E-Mail — vagrius@vagrius.com

Отпечатано с готовых диапозитивов
в Государственном ордена Октябрьской Революции,
ордена Трудового Красного Знамени Московском предприятии
«Первая Образцовая типография»
Министерства Российской Федерации по делам печати,
телерадиовещания
и средств массовых коммуникаций.
113054, Москва, Валовая, 28.

Оптовая торговля:
Эксклюзивный дистрибьютор издательства
ООО "ИКТФ Книжный Клуб 36'6"
г. Москва, Рязанский пер., д.3, 5 этаж
Офис: тел./факс: (095) 265-13-05, 267-29-69, 267-28-33, 261-24-90
Склад: тел.: (095) 523-25-56, 523-92-63; тел./факс: 523-11-10
Мелкий опт: (095)265-81-14
E-mail: club366@aha.ru
Интернет: http://www.club366.ru
Переписка:107078, г. Москва, а/я 245,
ООО "ИКТФ Книжный Клуб 36'6"

Оператор для магазинов Москвы
КОРФ "У Сытина"
125183, г. Москва, просзд Черепановых, д. 56
Тел./ факс: (095) 154-30-40
E – mail: shop@kvest.com
Интернет: http://www.kvest.com

Фирменный магазин "36'6 — Книжный Двор"
г.Москва, Рязанский переулок, д. 3
Тел. (095) 265-86-56